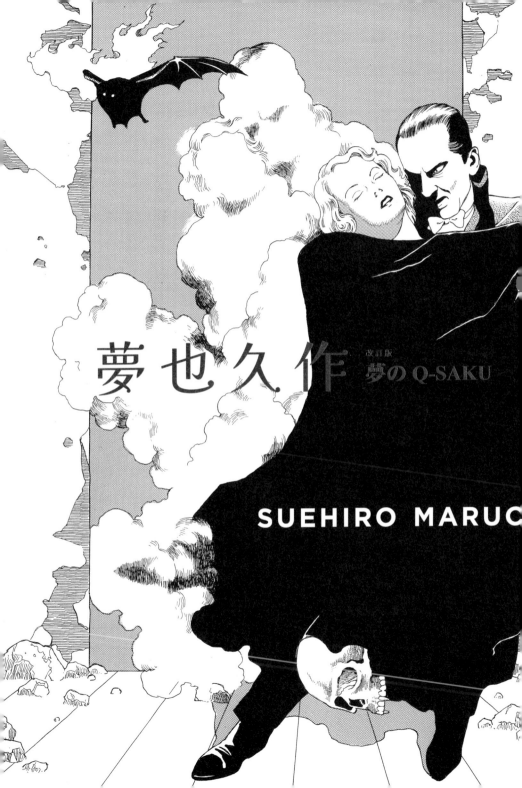

夢也久作

改訂版
夢の Q-SAKU

SUEHIRO MARUO

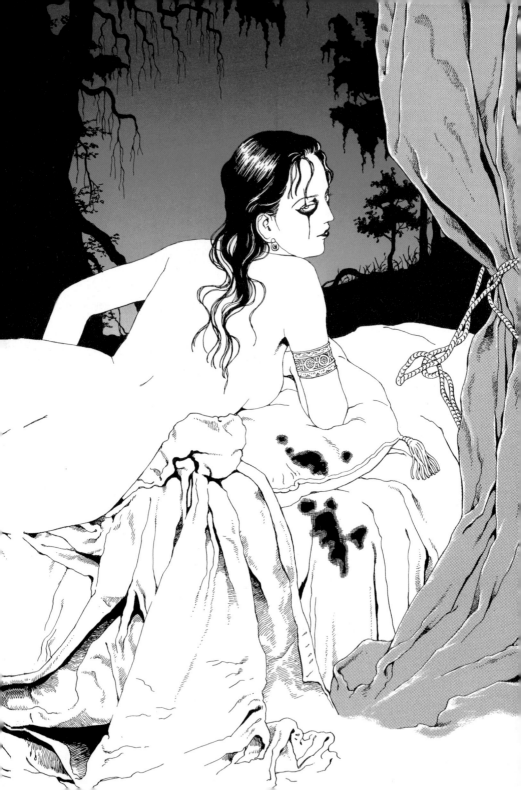

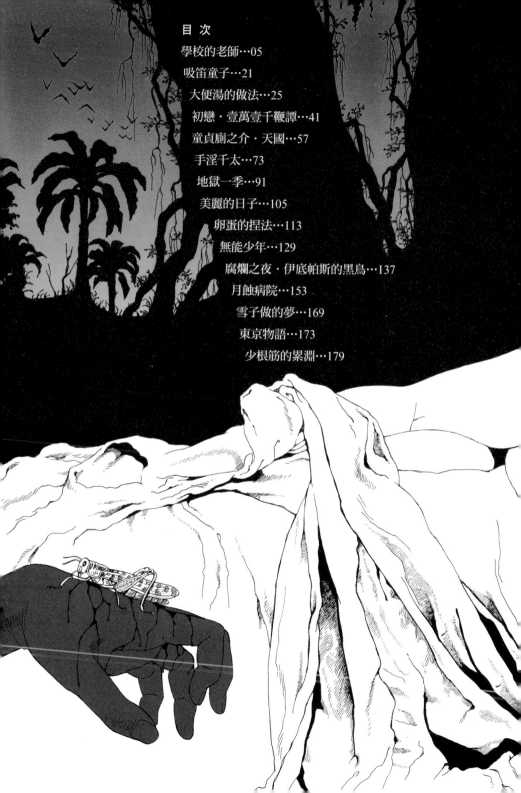

目次

學校的老師
学校の先生
<small>がっこう</small> <small>せんせい</small>

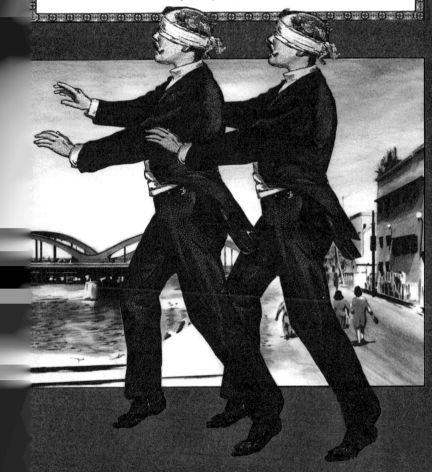

DIE VOLKSSCHULE

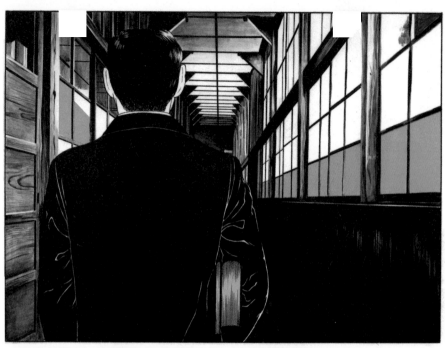

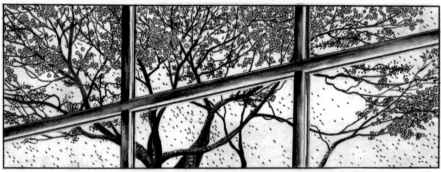

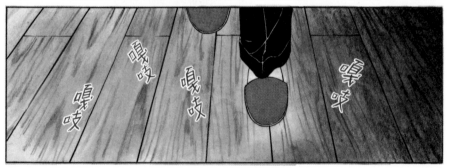

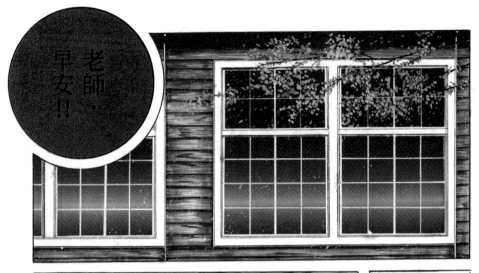

「……老師，早安！！」

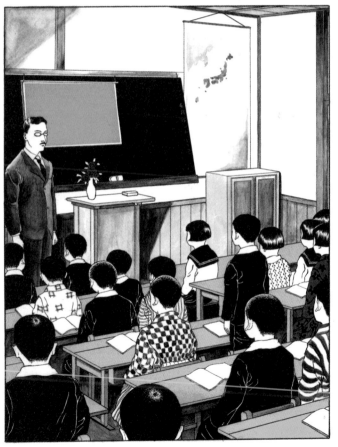

4月15日星期四

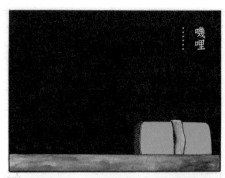

……嘰哩

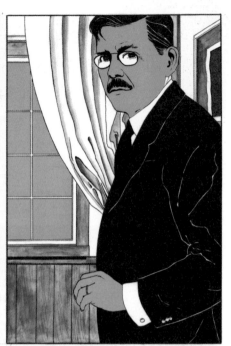

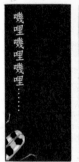嘰哩嘰哩嘰哩……

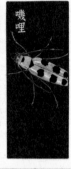嘰哩

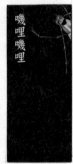嘰哩嘰哩

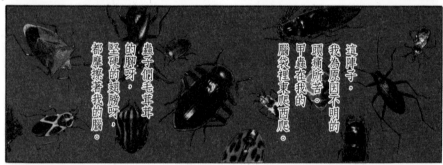

這陣子，我為原因不明的頭痛所苦。甲蟲在我的腦袋裡東爬西爬。蟲子們毛茸茸的腳呀，堅硬的翅膀呀，都摩擦著我的腦。

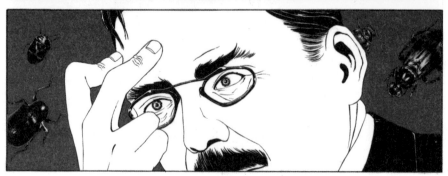

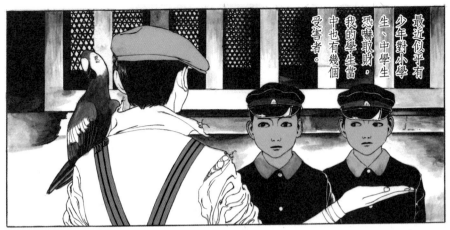

最近似乎有少年、中學生恐嚇取財，對小學生、中學生恐嚇取財，我的學生當中也有幾個受害者。

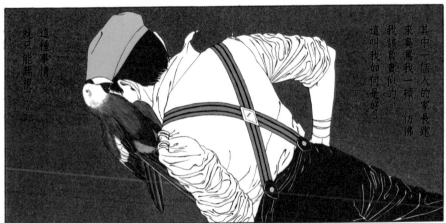

其中一個人的家長跑來臭罵我一頓，仿佛我該負責似的。這叫我如何是好。

這種事情、就只能無視了。。

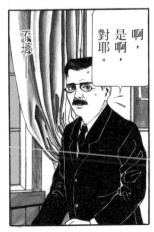

不過—

啊，是啊，對耶。

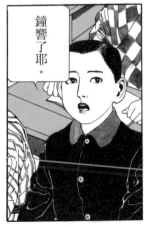

鐘響了耶。

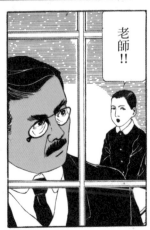

老師!!

9

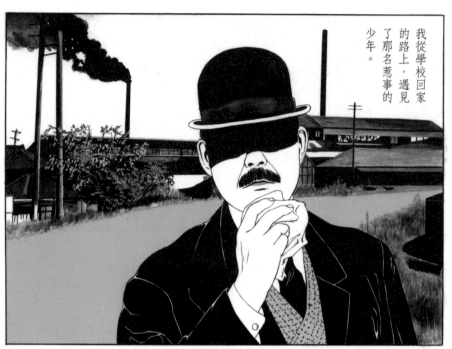

我從學校回家的路上，遇見了那名惹事的少年。

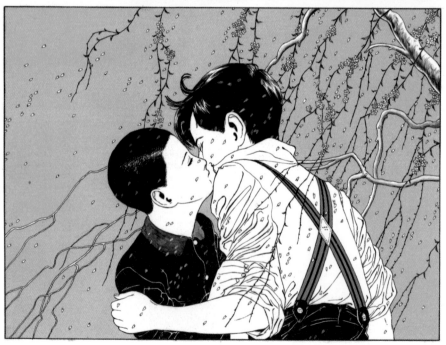

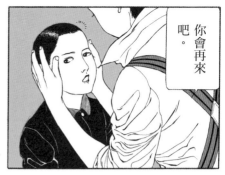

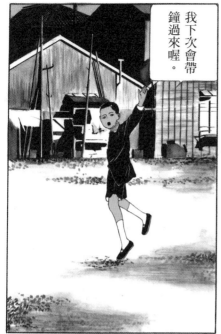

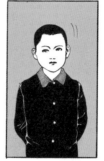

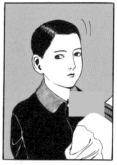

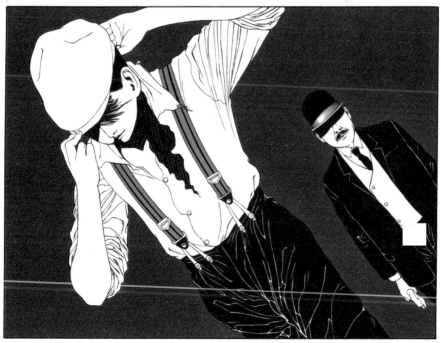

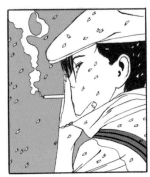
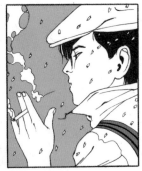
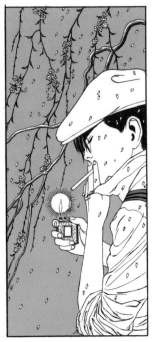

那打火機──

你！你在幹相當無恥的勾當呢。

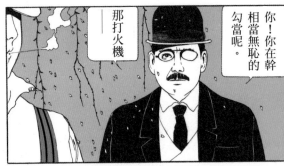

是你從那孩子手上搶走的吧。

很棒吧。「羅威」牌，義大利製的咧。

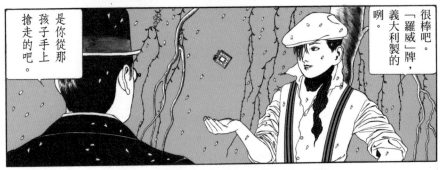

交出來，我來幫你歸還。

你在說啥啊？

這是那孩子特地帶給我的禮物呀。

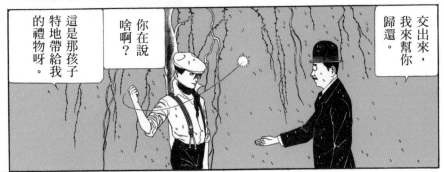

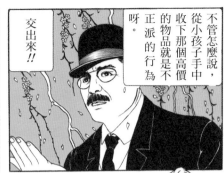

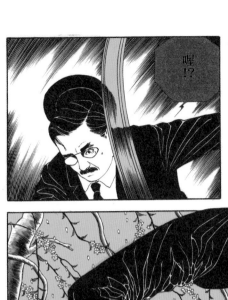

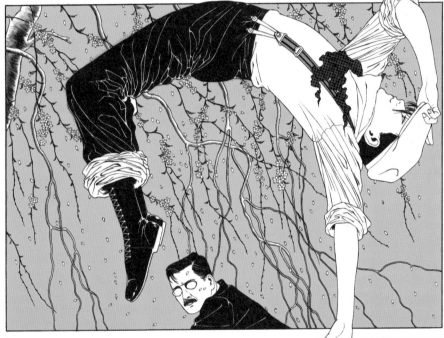

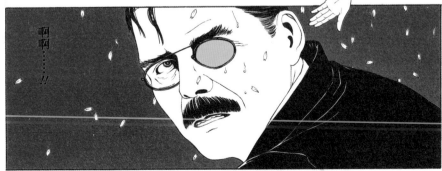

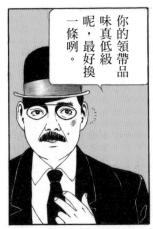
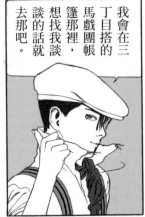
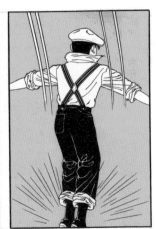

你的領帶品味真低級呢，最好換一條咧。

我會在三丁目搭的馬戲團帳篷那裡，想找我談談的話就去那吧。

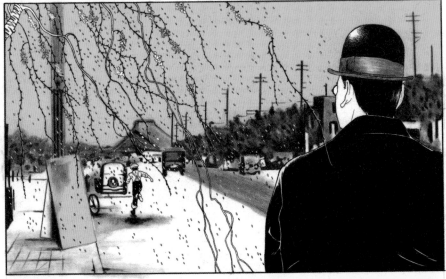

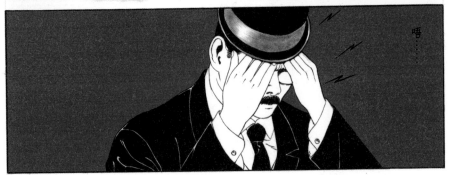

唔……

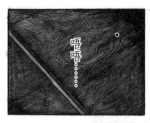

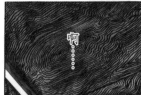

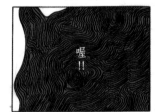

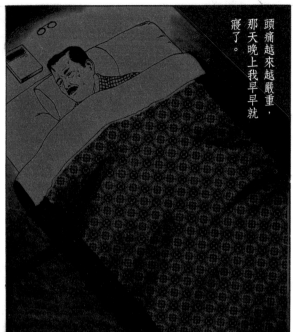

頭痛越來越嚴重，那天晚上我早早就寢了。

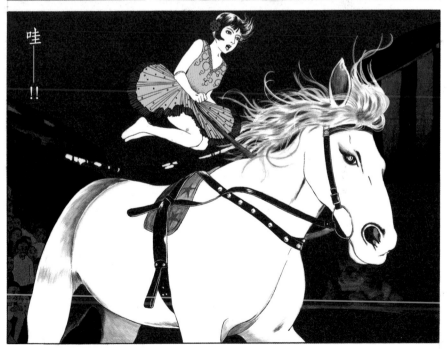

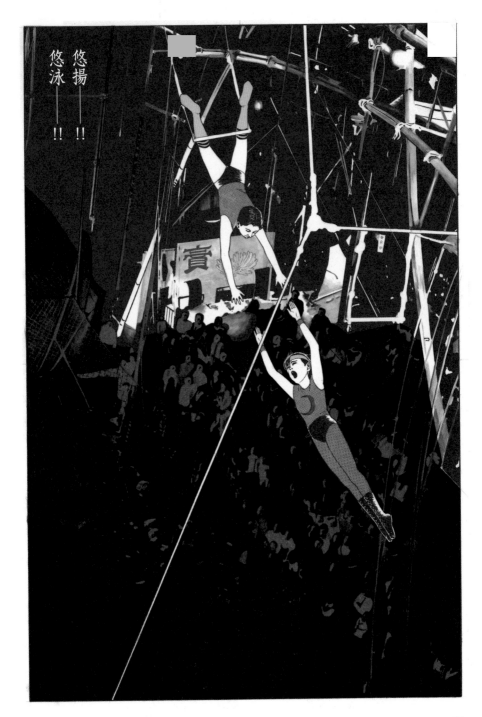

悠　悠
揚　泳
──　──
‼　‼

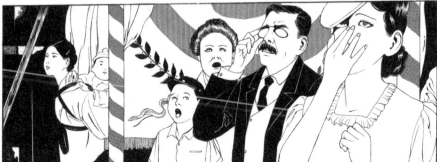

悠揚悠泳！！[1]

1 出自中原中也詩作，鞦韆晃蕩的擬態語。

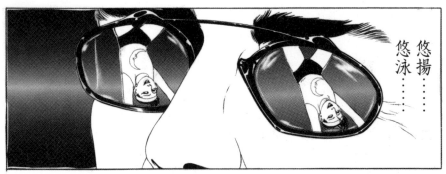

悠揚……
悠泳……

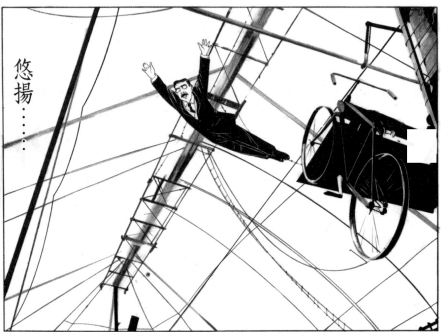

悠揚……

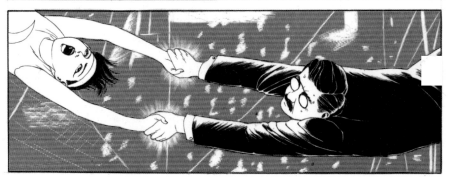

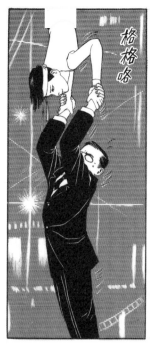
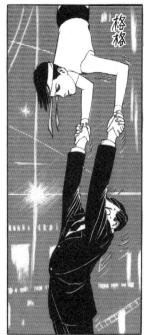
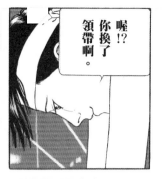
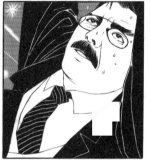
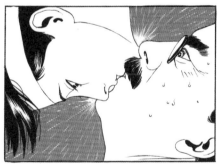
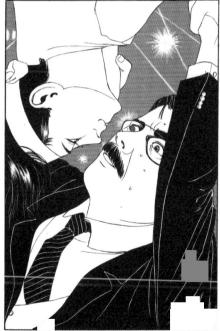
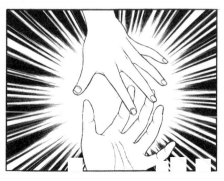

格
格
咯

格
格

喔
!?
你換了
領帶啊。

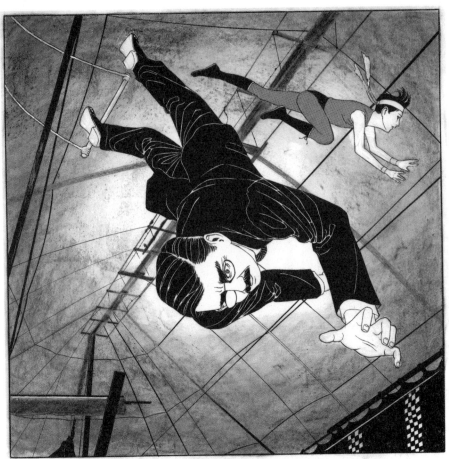

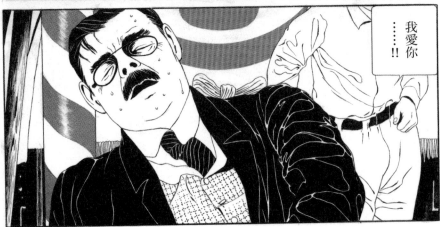

……
我
愛
你
!!

學校的老師　完

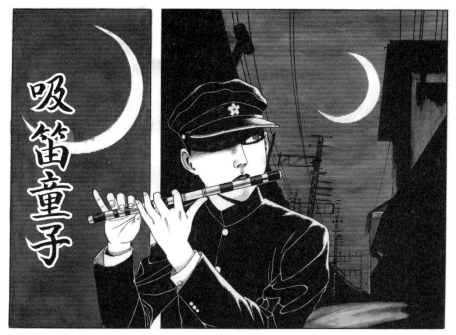

吸笛童子

SUEHIRO MARUO

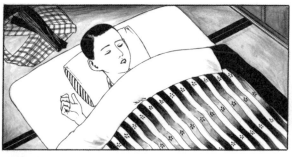

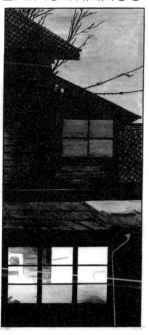

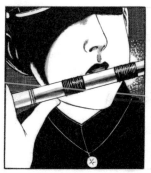

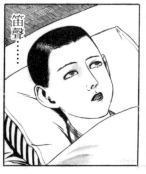

笛聲……

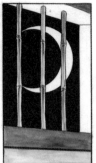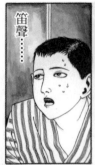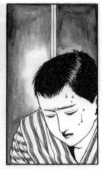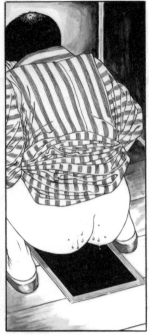

笛聲……

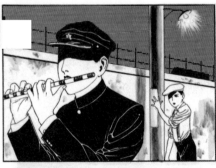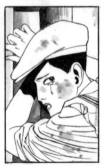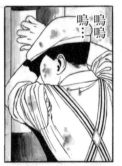

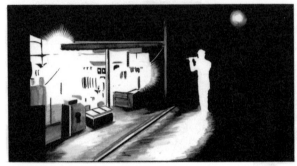

嗚嗚嗚……

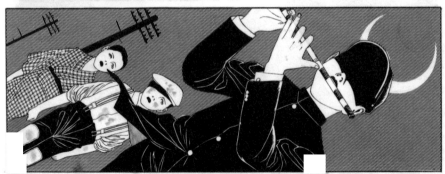

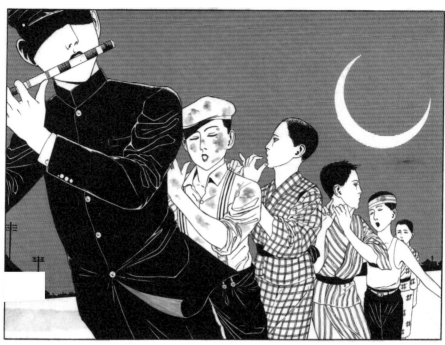

那城這城
紛紛日暮
無家可歸的
你和我

朝月亮
潑灑硫酸
跑吧
暗夜的
草迷宮

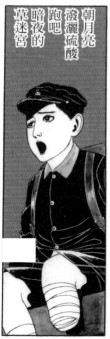

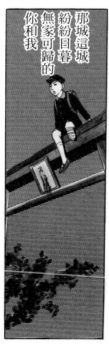

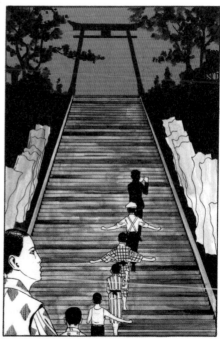

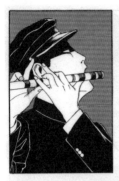
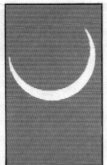
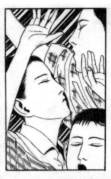
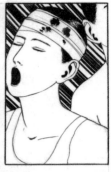
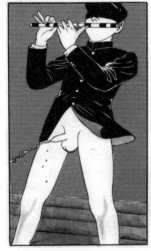
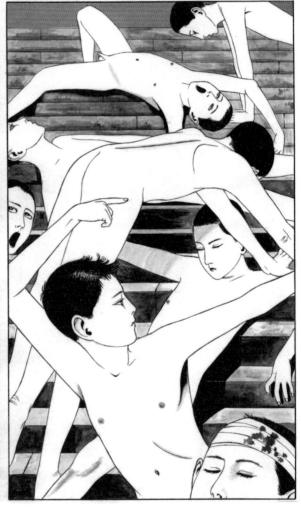

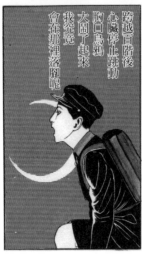

跨越百階後
心臟停止跳動
胸口烏鴉
大鬧了起來
我兒克
會在哪裡落腳呢

大便湯
的做法

—太陽命根—

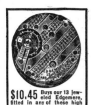

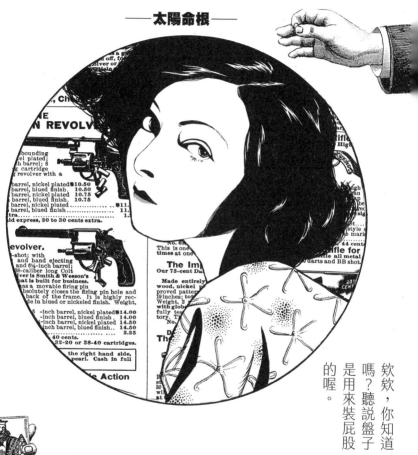

欸欸，你知道嗎？聽說盤子是用來裝屁股的喔。

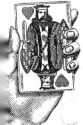

 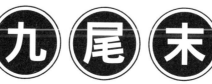

九尾末広

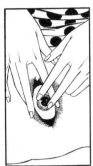
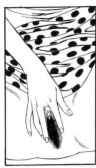
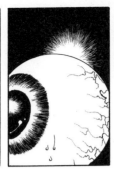
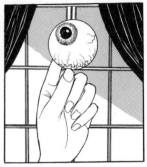

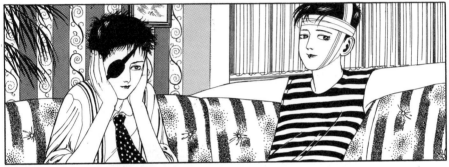

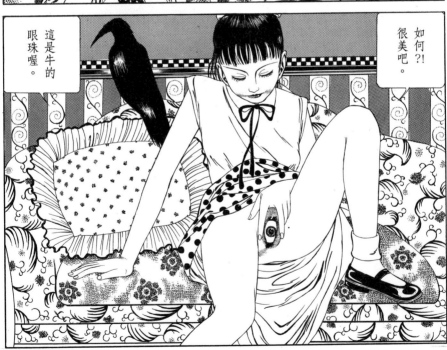

如何?!
很美吧。

這是牛的
眼珠喔。

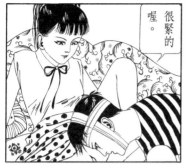

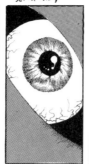

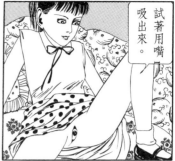

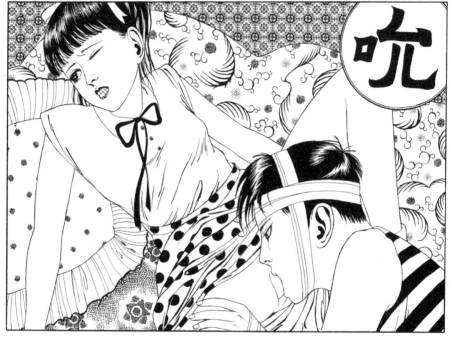

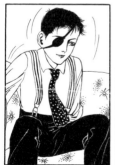

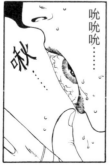

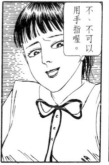

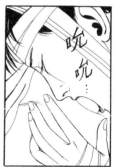

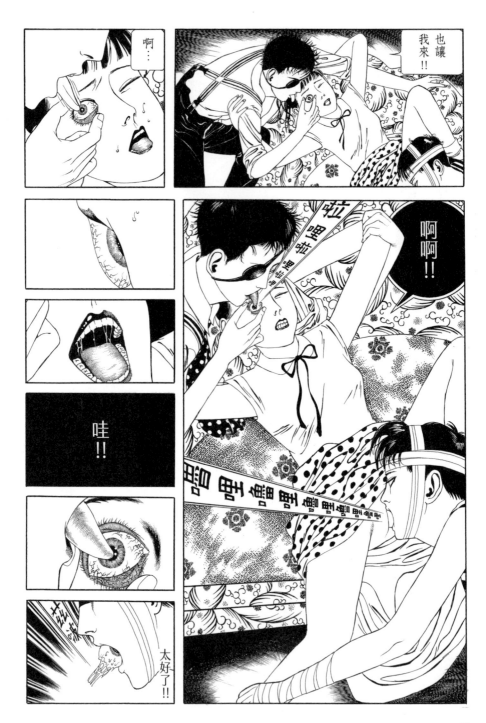

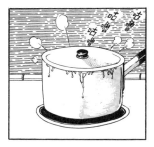

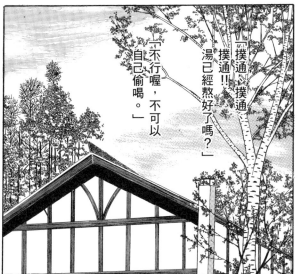

「撲通、撲通
撲通!!」

「湯已經熬好了嗎?」

「不行喔,不可以
自己偷喝。」

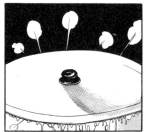

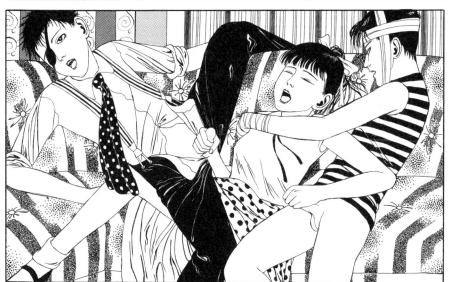

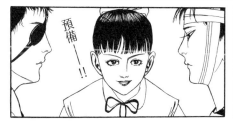

預備──!!

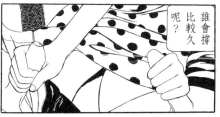

誰會撐
比較久
呢?

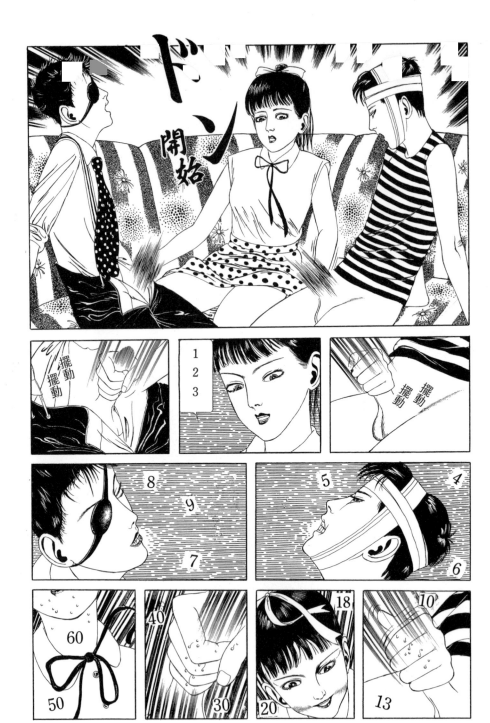

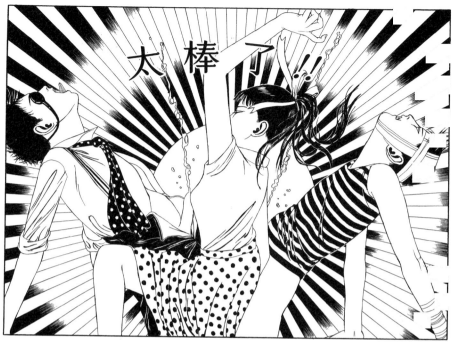

太棒了!!

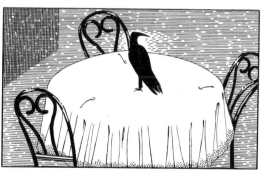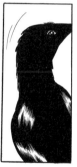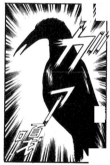

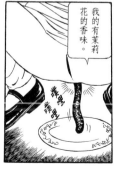

我的有茉莉花的香味。

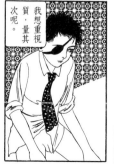

我想重視質,量其次呢。

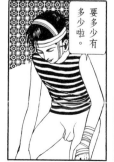

要多少有多少啦。

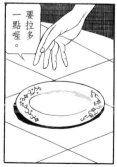

要拉多一點喔。

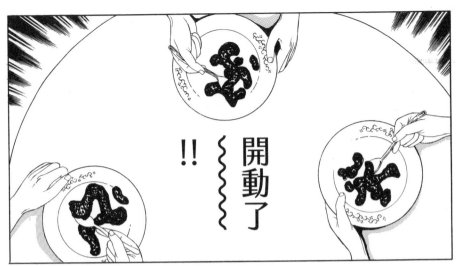

開動了
!!

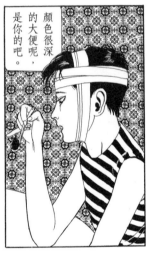

顏色很深的大便呢，是你的吧。

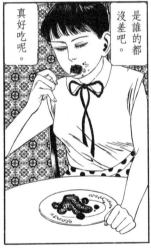

是誰的都沒差吧。

真好吃呢。

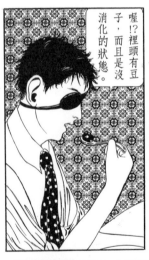

喔!?裡頭有豆子，而且是沒消化的狀態。

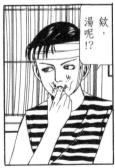

欸，湯呢!?

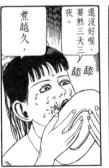

還沒好喔，要熬三天三夜。

煮越久，

舔舔舔

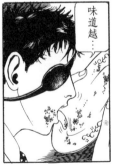

味道越...

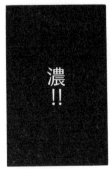

濃!!

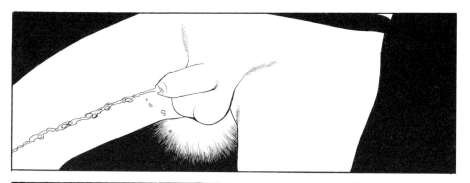

去吧!! 去吧!!

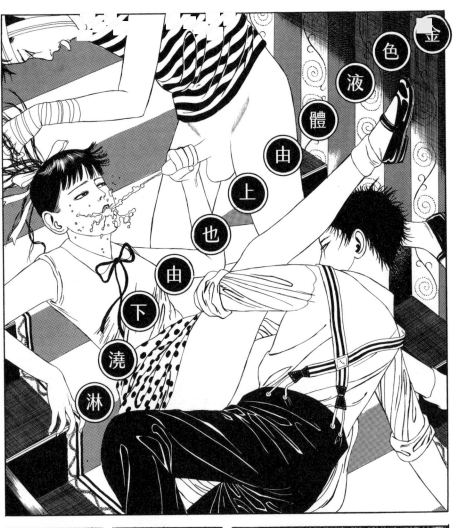

金色液體由上也由下澆淋

哈哈哈哈哈哈!!

哈哈哈!!

眯眼望向太陽，
我看見了太陽的陰莖。
我搖頭，
太陽的陰莖也隨之擺動，
那便是風的成因。

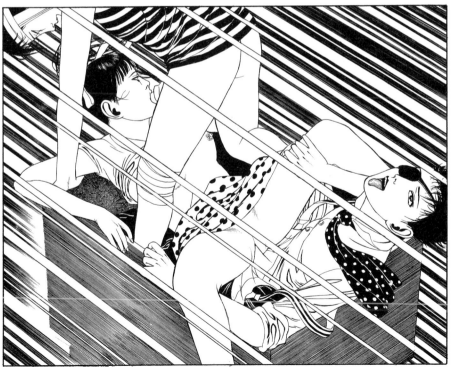

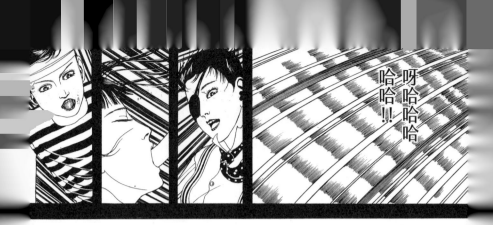

呀哈哈哈哈哈!!

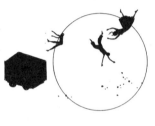

覺得我騙人的話，推薦你吃看看。

——我——

不如說苦。

至於大便的味道呢，那與其說臭，

廁也還是上不太出來。

即便是現在，我在車站或公園的公

意，我還是會飛奔回家。

小時候到隔壁人家玩要要是有了便

真是名言。

一句話：「汙垢不會愛其他汙垢。」

法國的小偷作家尚·惹內寫過這麼

當然是我自己的。

代曾經吃過大便。

雖說是出於偶然，不過我在少年時

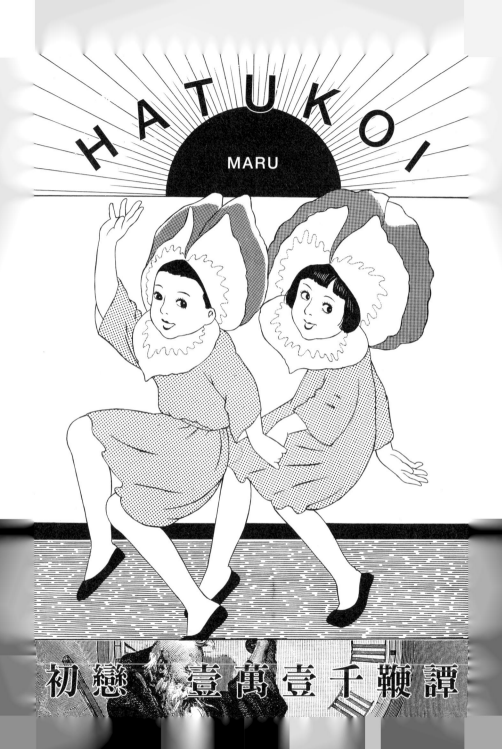

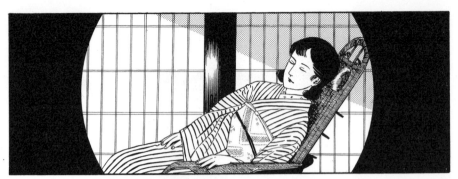

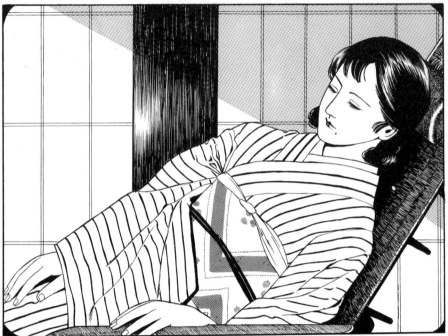

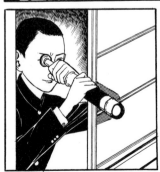

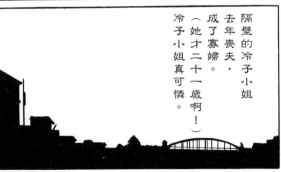

隔壁的冷子小姐
去年喪夫，
成了寡婦。
（她才二十一歲啊！）
冷子小姐真可憐。

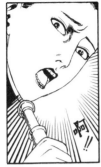
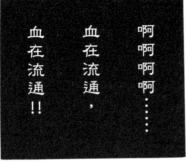
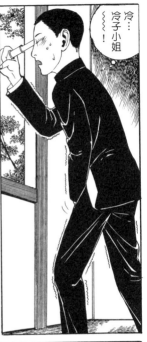

啊啊啊啊⋯⋯
血在流通,
血在流通!!

冷⋯冷子小姐
〜!

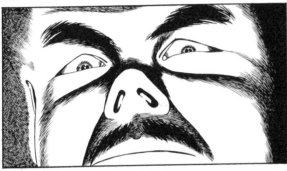

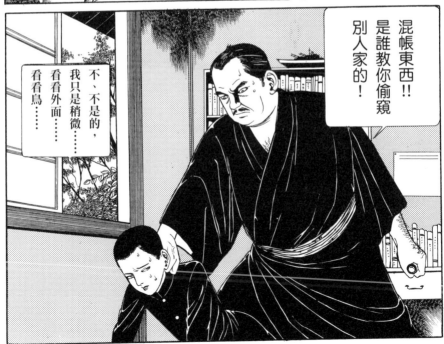

混帳東西!!
是誰教你偷窺
別人家的!

不、不是的,
我只是稍微⋯⋯
看看外面⋯⋯
看看鳥⋯⋯

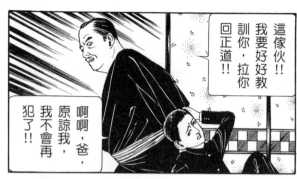

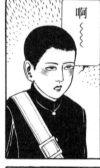

可惡，我又……!!

碰到那女人，我就忍不住臉紅。

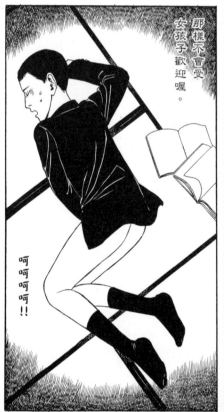

那樣不會受女孩子歡迎喔。

呵呵呵呵!!

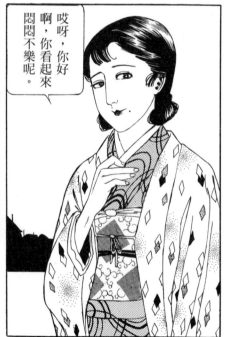

哎呀，你好啊，你看起來悶悶不樂呢。

啊啊啊啊
冷子小姐
冷子小姐
冷子小姐
冷子小姐
……
……
……

44

就這樣，

我一天會自慰個三次。

看來我是真心

喜歡上她了……

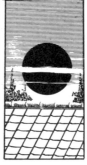

然而……
我看到了。
我看到那
始料未及的
場面了!!

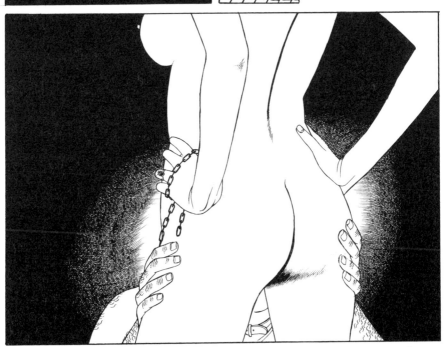

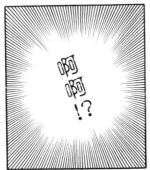

啊啊
!?

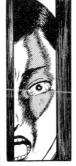

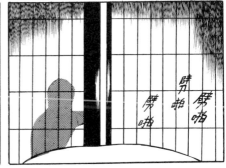

劈啪
劈啪
劈啪
劈啪

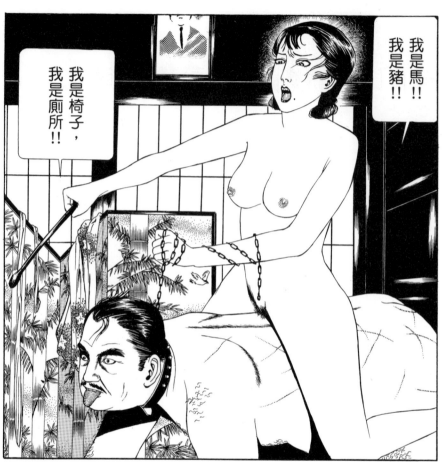

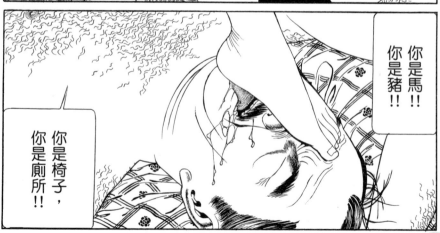

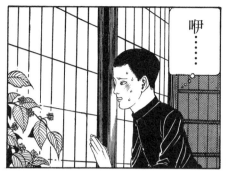咿……

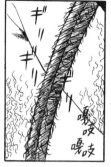嘎咿 嘎咿

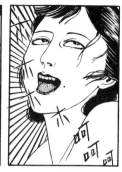呵呵呵

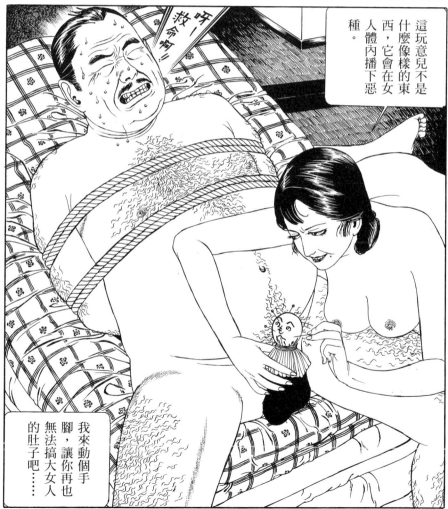

呀—救命呀—！

這玩意兒不是什麼像樣的東西，它會在女人體內播下惡種。

我來動個手腳，讓你再也無法搞大女人的肚子吧……

47

啊啊，好噁心！！我幻滅了。她那樣不就跟妓女一樣嗎？

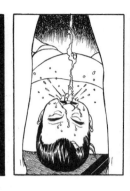

我絕對不要再跟那種女人說半句話！！

隔天……

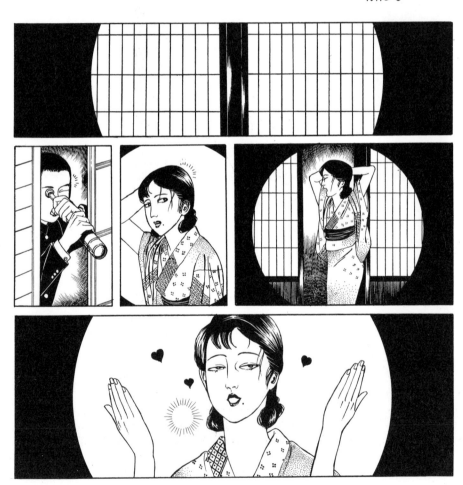

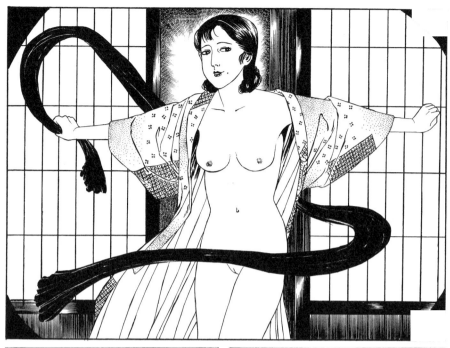

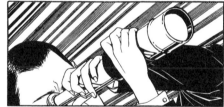
唔唔唔

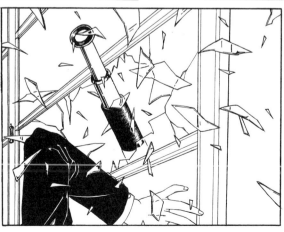
……我不行了……!!

啊啊啊啊……

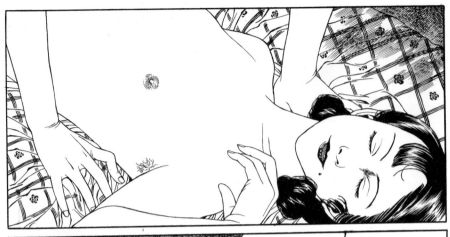

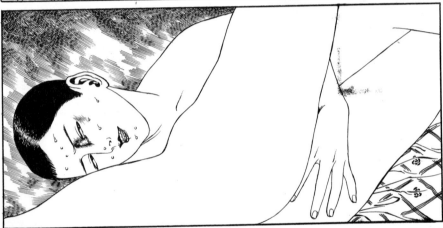

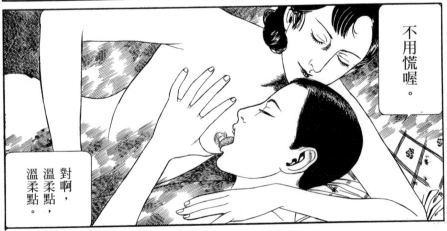

不用慌喔。

對啊，溫柔點，溫柔點。

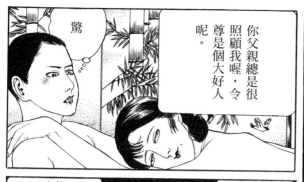

驚

你父親總是很照顧我喔，令尊是個大好人呢。

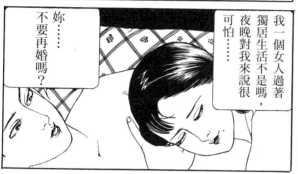

妳……不要再婚嗎？

我一個女人過著獨居生活不是嗎，夜晚對我來說很可怕……

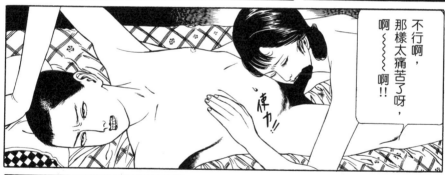

不行啊，那樣太痛苦了呀，啊～～～啊!!

使力!!

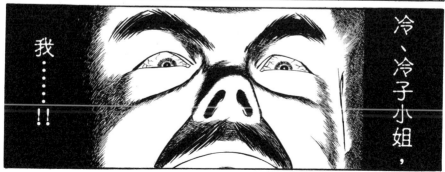

冷、冷子小姐，我……!!

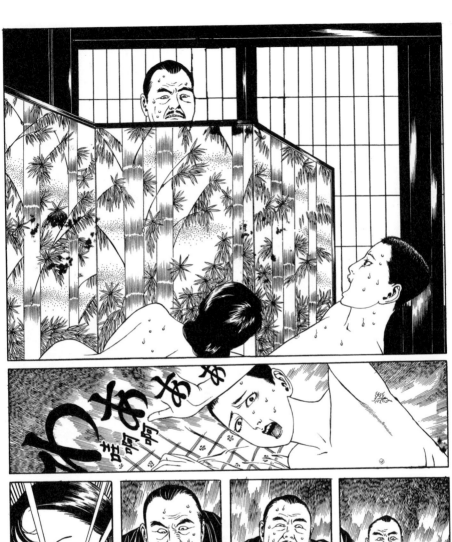
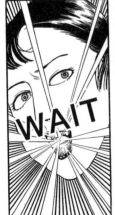
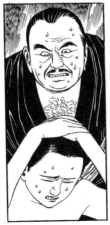
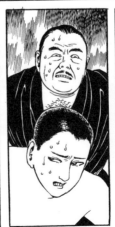
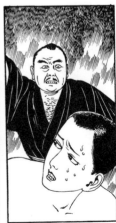

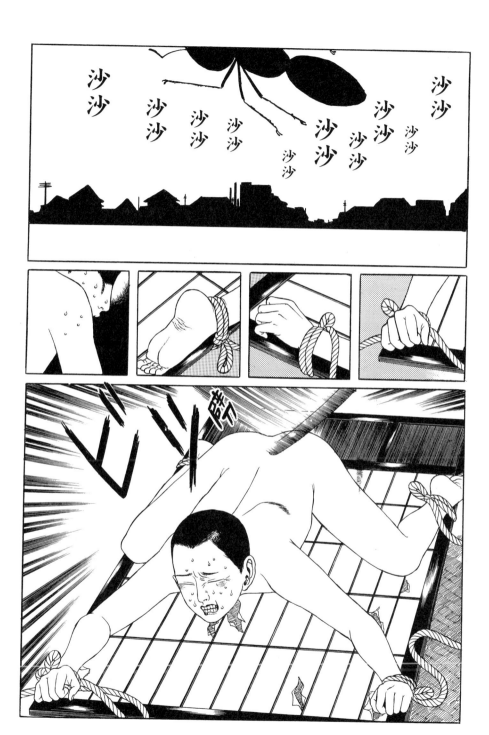

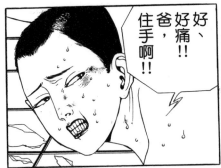

好、好痛！！爸，住手啊！！

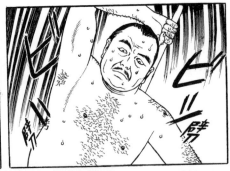

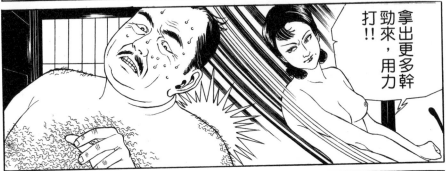

拿出更多幹勁來，用力打！！

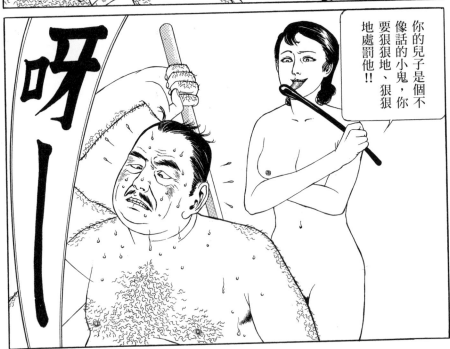

你的兒子是個不像話的小鬼，你要狠狠地、狠狠地處罰他！！

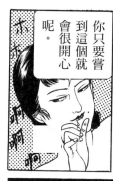

你只要嘗到這個就會很開心呢。

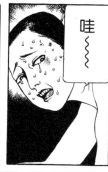

哇～～

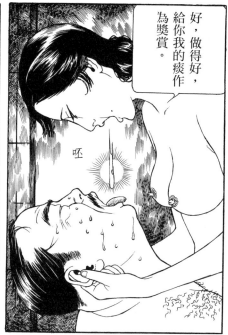

好，做得好，給你我的痰作為獎賞。

呸

「好，接下來用你那話兒對付你兒子的屁股。」

「咦!?」

「那、那怎麼行呢……!!」

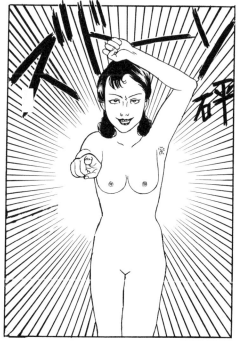

ズドドドーン

砰

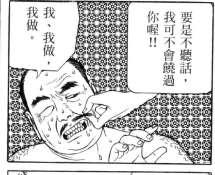

要是不聽話，我可不會饒過你喔!!

我、我做，我做。

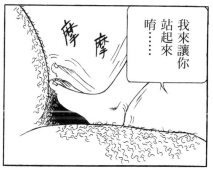

我來讓你站起來

唷……

摩摩

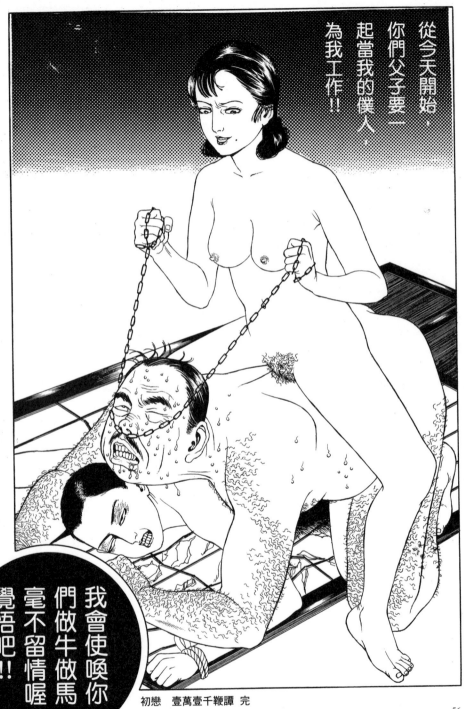

初戀 壹萬壹千鞭譚 完

童貞廁之介 天國

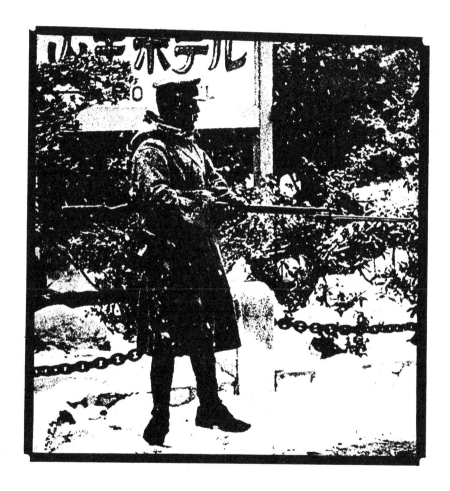

DŌTEI KAWAYANOSUKE

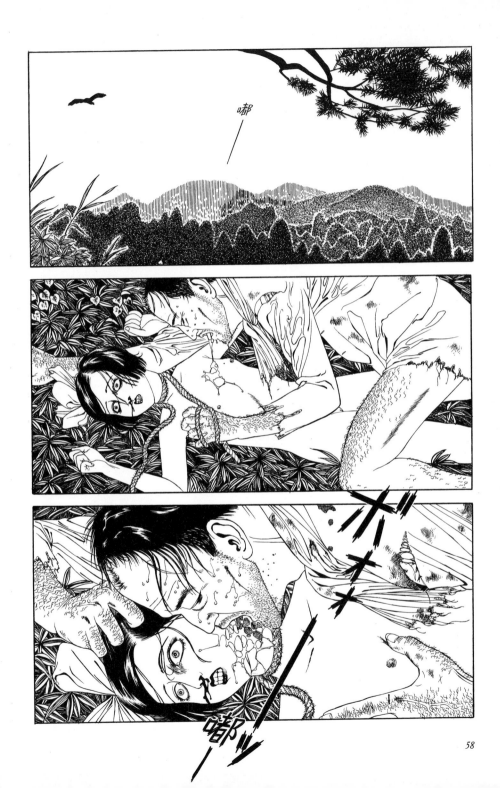

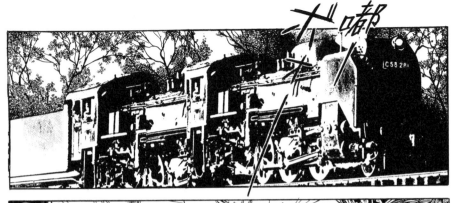

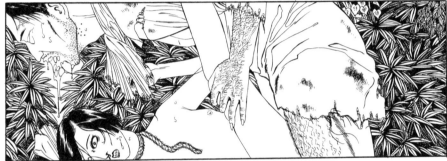

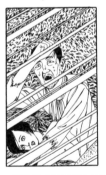

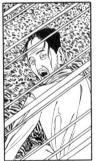

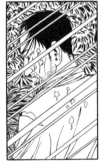

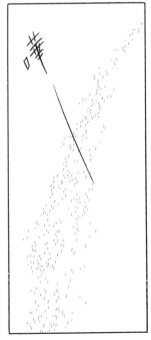

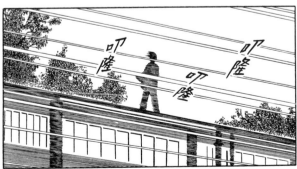

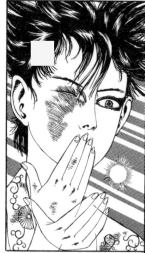

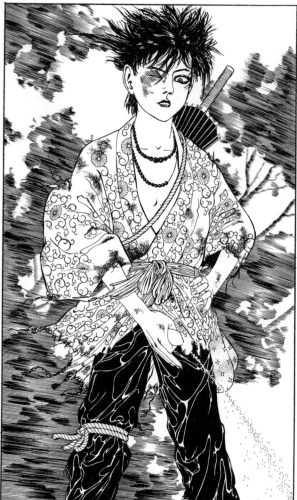

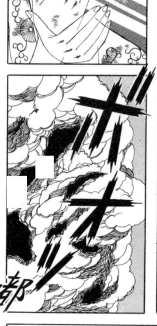

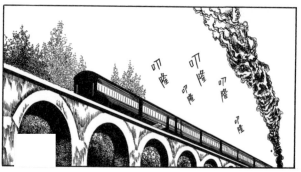

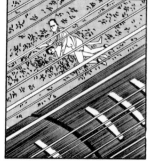

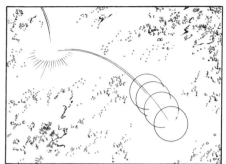
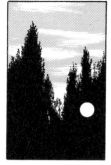
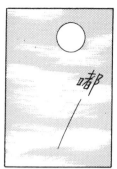
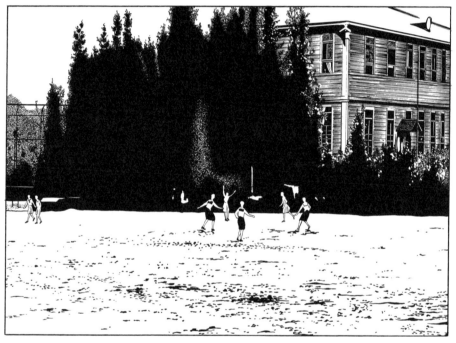
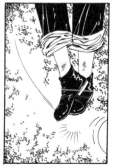
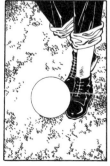
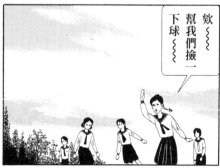

欸～～
幫我們撿一
下球～～

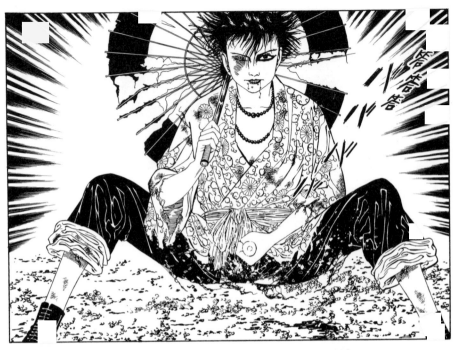

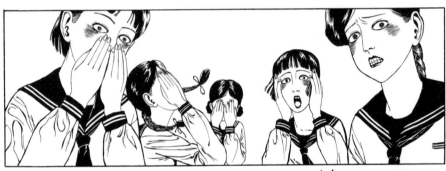

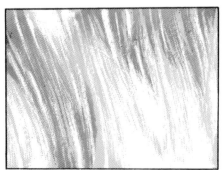

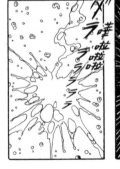

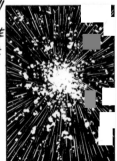

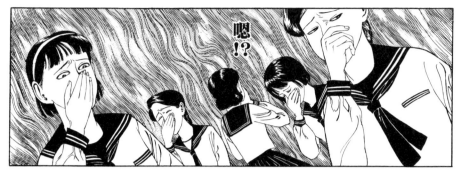

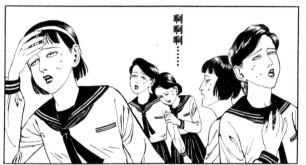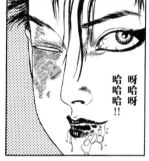

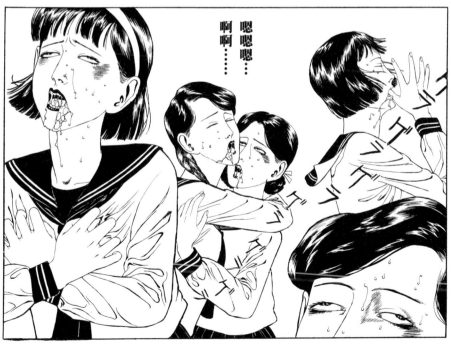

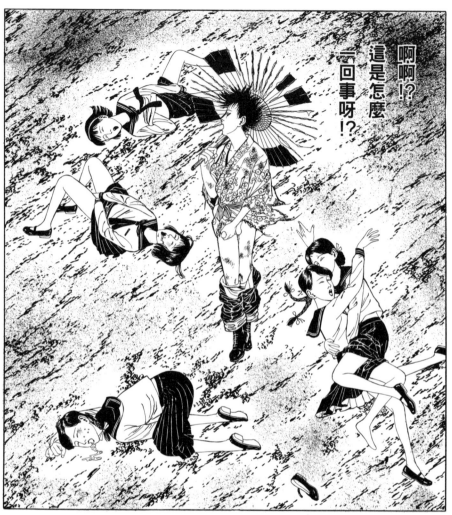

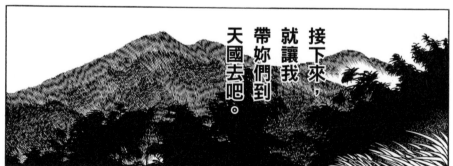

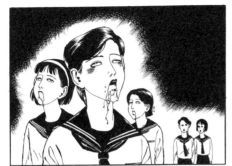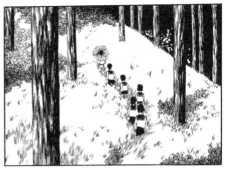

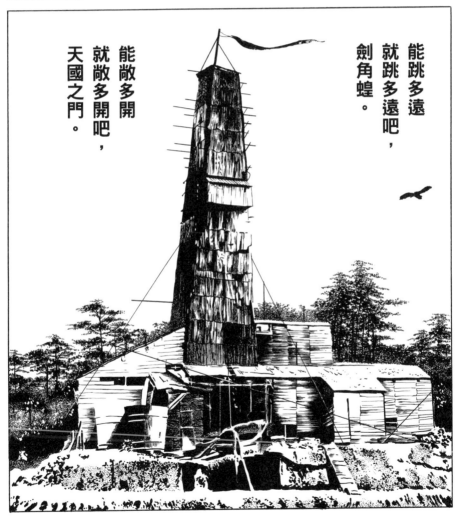

能跳多遠
就跳多遠吧，
劍角蝗。

能敞多開
就敞多開吧，
天國之門。

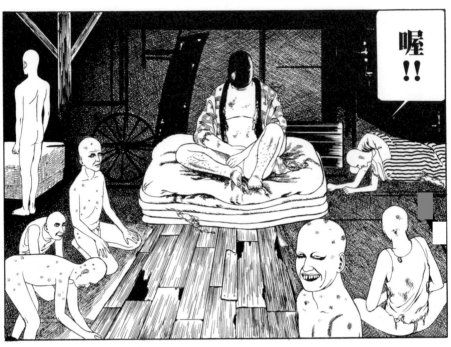

喔!!

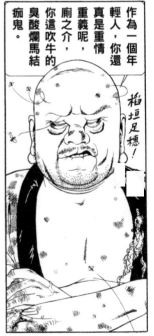

作為一個年輕人，你還真是重情重義呢，廁之介，你這吹牛的臭酸爛馬結痂鬼。

稲垣足穂!

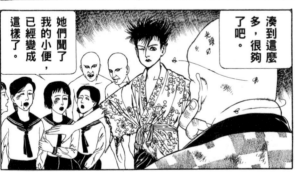

湊到這麼多，很夠了吧。

她們聞了我的小便，已經變成這樣了。

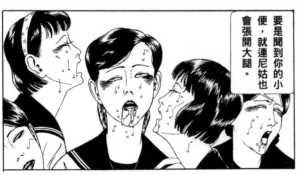

要是聞到你的小便，就連尼姑也會張開大腿。

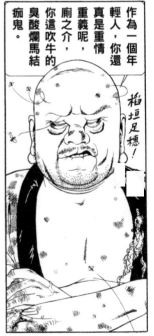

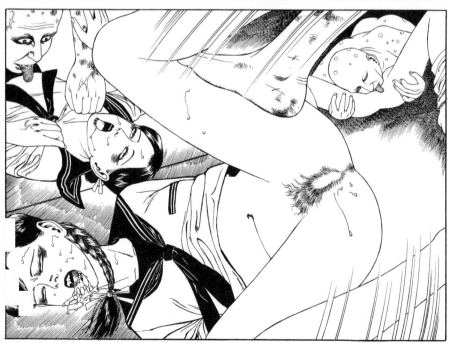

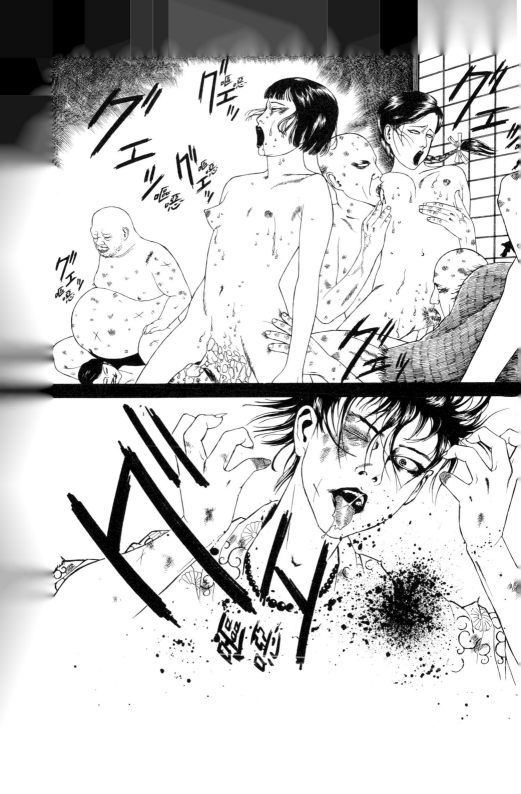

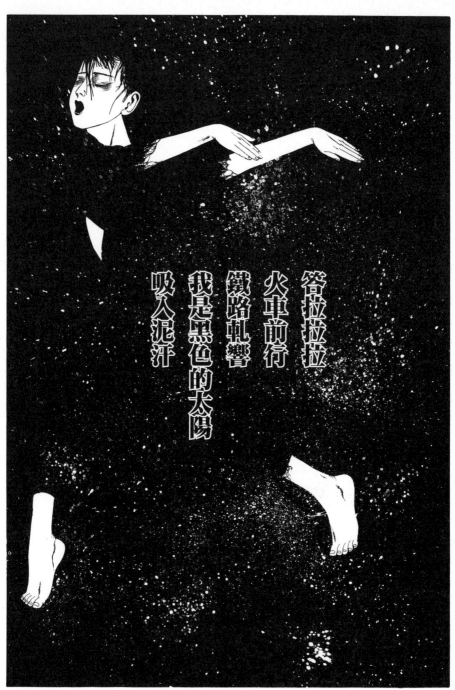

答拉拉拉
火車前行
鐵路軋響
我是黑色的太陽
吸入泥汗

童貞廁之介・天國　完

手淫千太

犬神家的各位

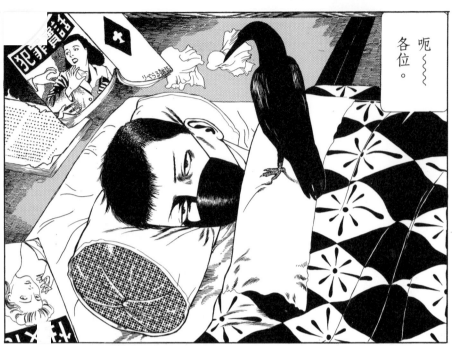

呃～～
各位。

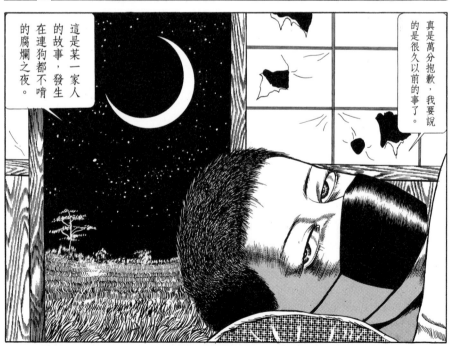

真是萬分抱歉，我要說的是很久以前的事了。

這是某一家人的故事，發生在連狗都不啃的腐爛之夜。

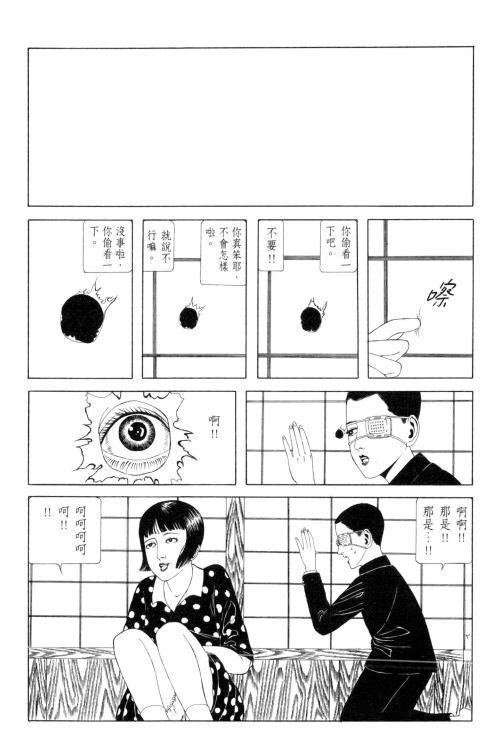

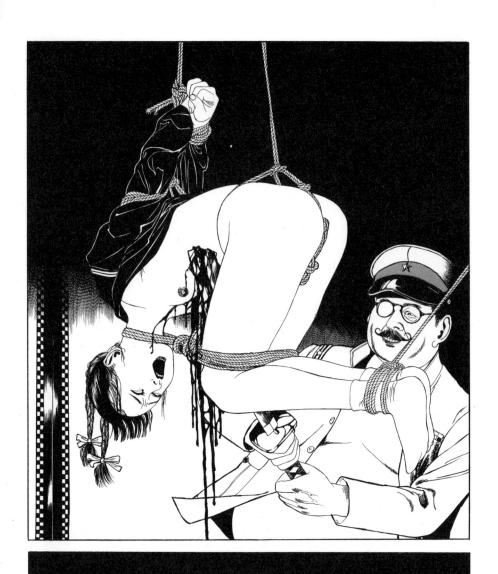

啊啊！！
銀子就要
被爸爸
殺死了！！

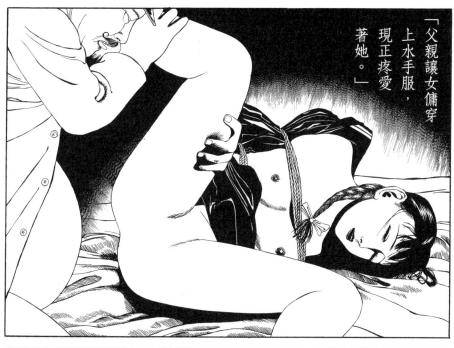

「父親讓女傭穿上水手服，現正疼愛著她。」

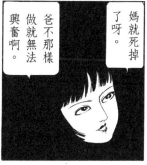

「如何？上了很棒的一課吧⋯⋯」

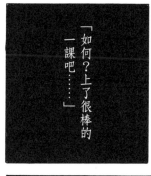

爸不那樣做就無法興奮啊。

媽就死掉了呀。

「真笨欸，為什麼她會死掉啊!?」

「銀子會死掉的!!」

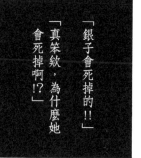

道男長的針眼一直好不起來，每到晚上，它便會隱隱刺痛。

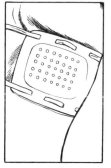

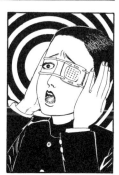

77

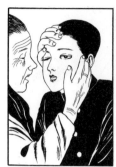
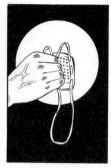

奶奶，眼睛好痛啊。

哪裡？讓我看看。

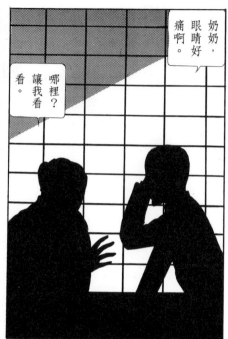

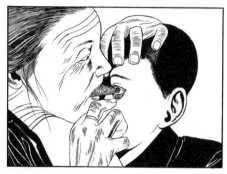

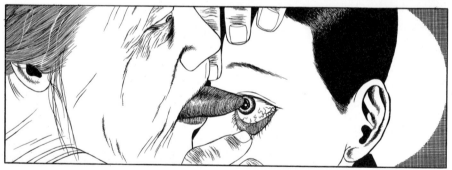

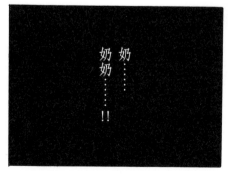

奶奶……
奶奶……!!

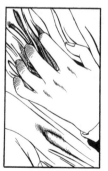

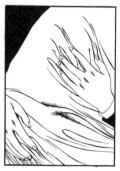

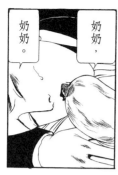
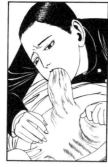
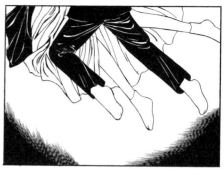

奶奶，

奶奶。

啊～～

奶奶～～

奶奶～～

！！

！！

道…道…道男～～

道男啊啊～～

！！

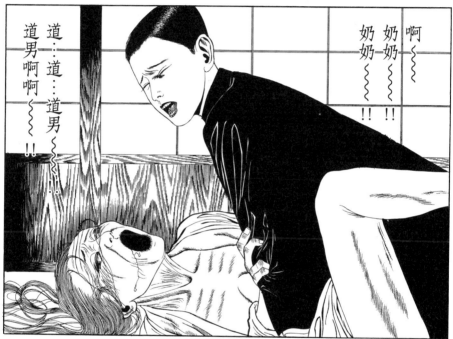

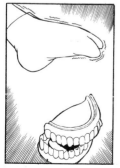

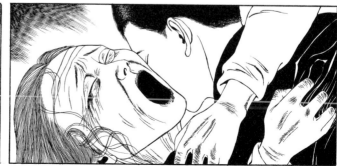

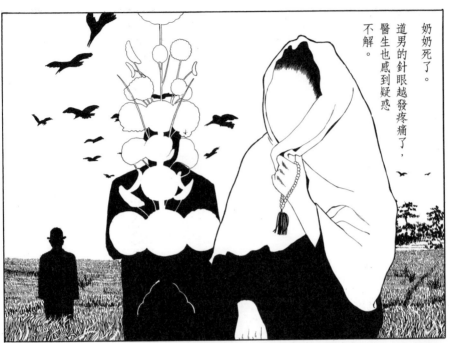

奶奶死了。

道男的針眼越發疼痛了，醫生也感到疑惑不解。

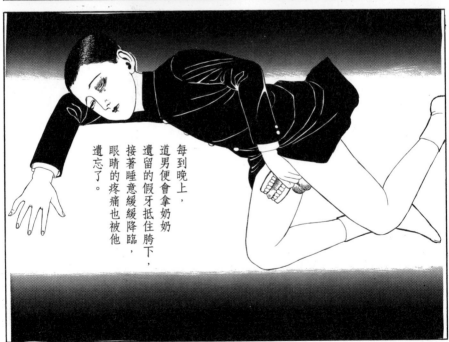

每到晚上，道男便會拿奶奶遺留的假牙抵住脖下，接著睡意緩緩降臨，眼睛的疼痛也被他遺忘了。

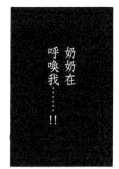

奶奶在
呼喚我⋯⋯!!

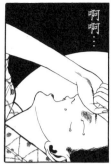

啊啊⋯⋯

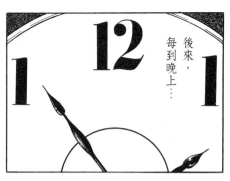

後來，每到晚上⋯⋯

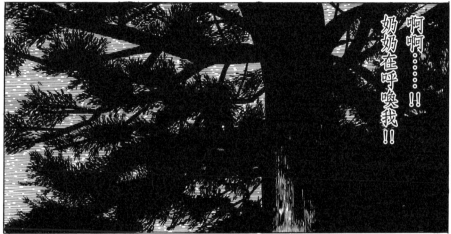

啊啊⋯⋯⋯!!
奶奶在呼喚我!!

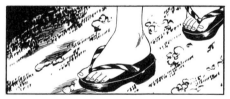

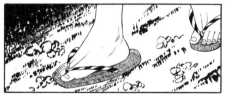

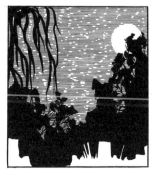

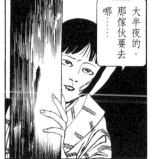

大半夜的，那傢伙要去哪⋯⋯

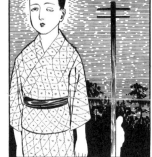

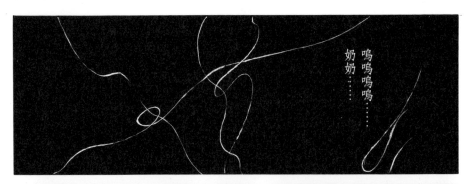

嗚嗚嗚嗚……
奶奶……

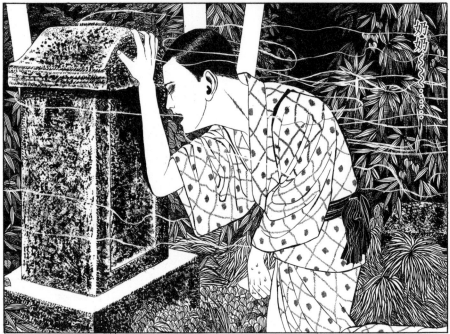

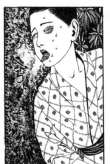

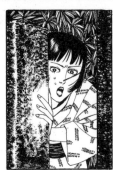

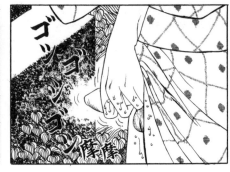

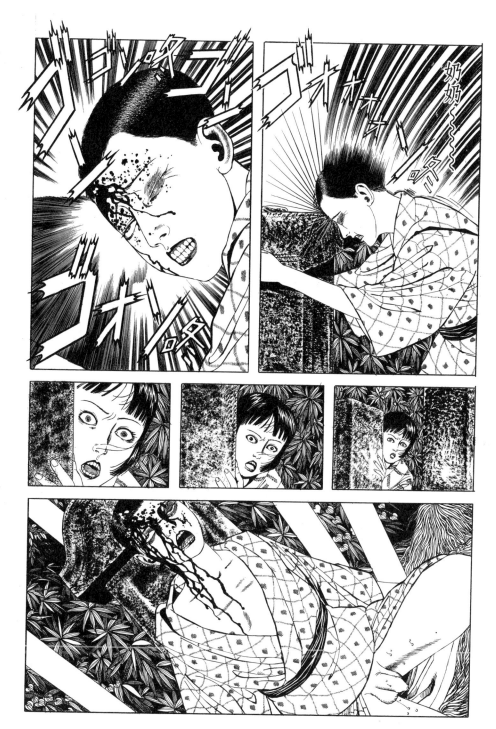

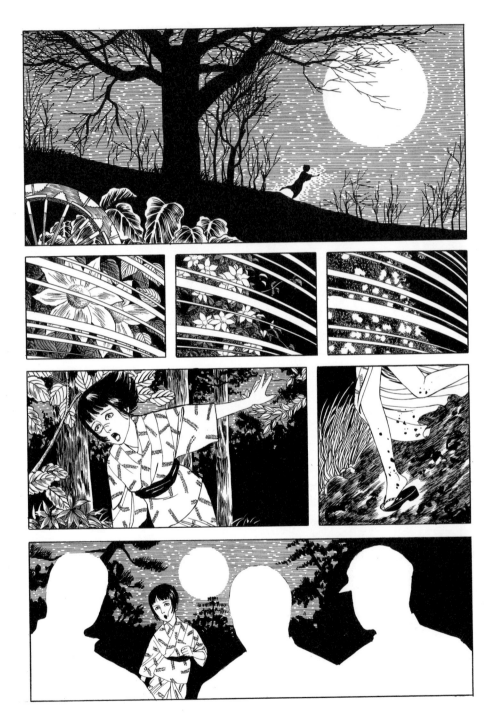

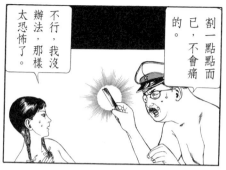

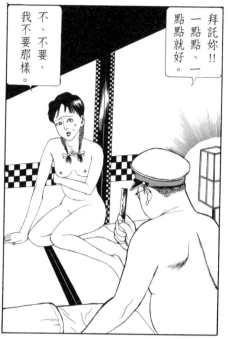

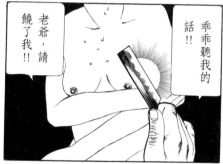

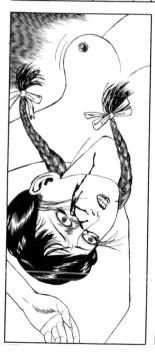

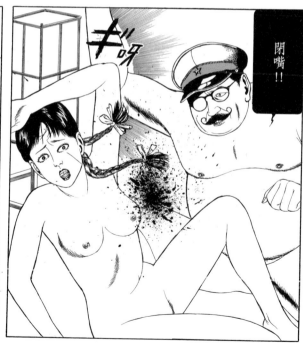

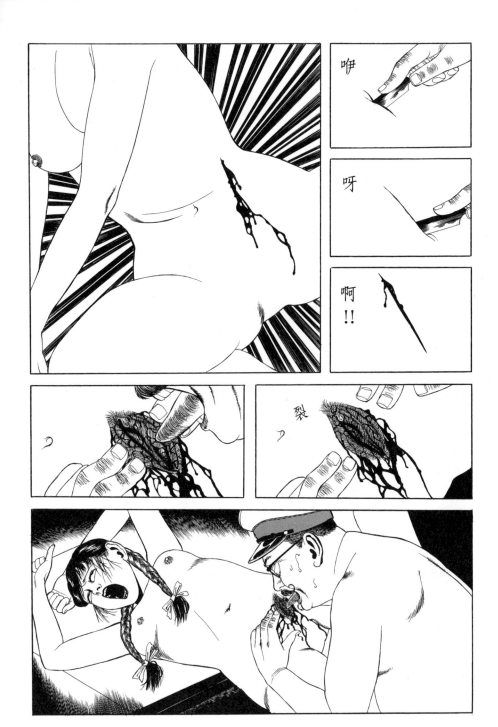

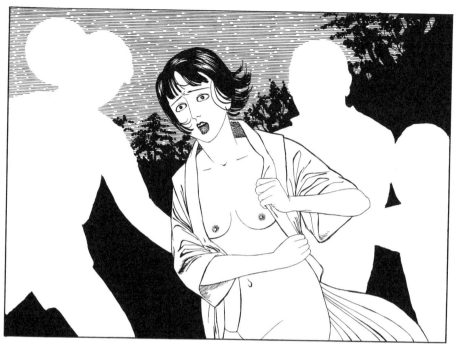

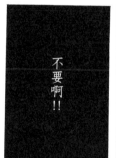

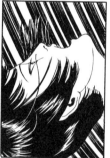

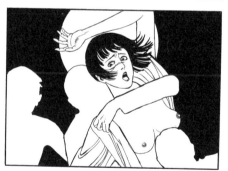

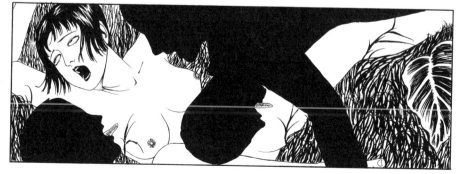

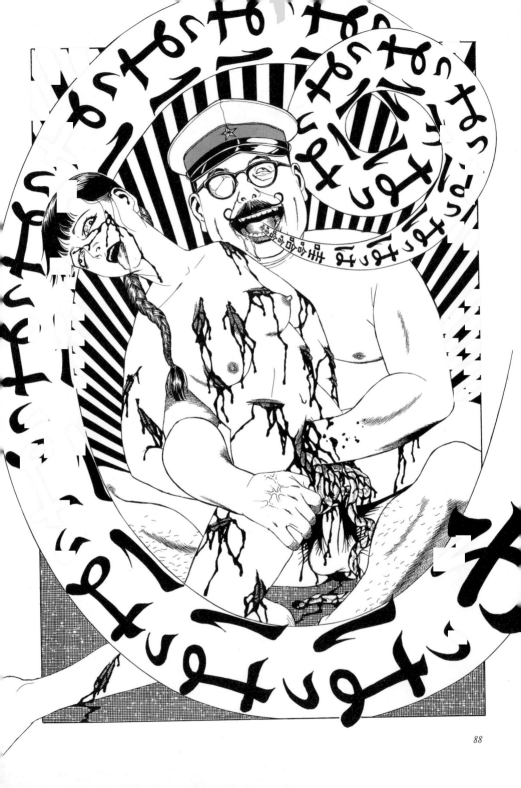

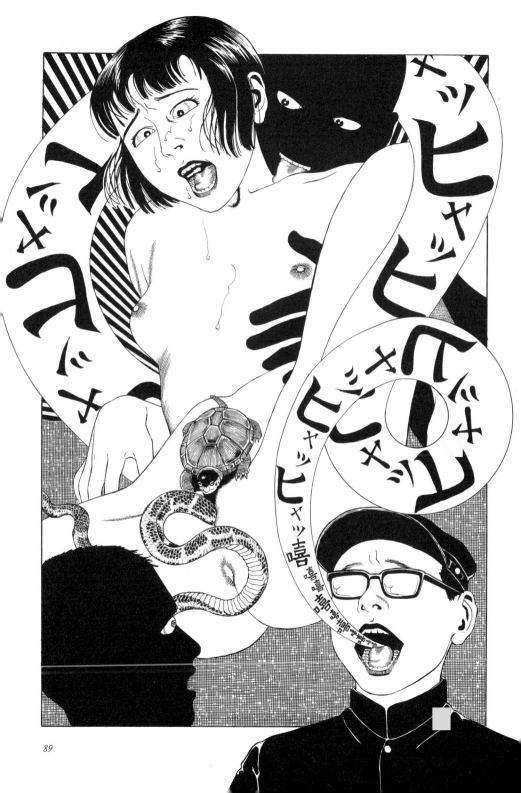

89

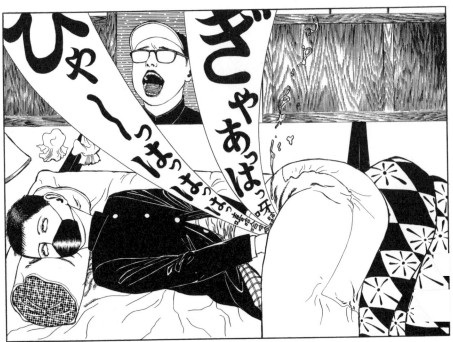

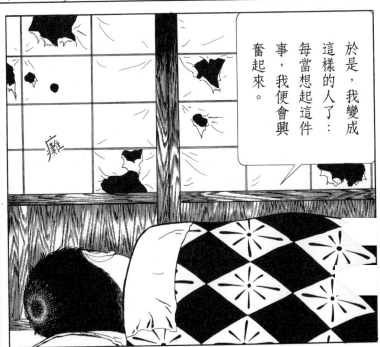

於是，我變成
這樣的人了：
每當想起這件
事，我便會興
奮起來。

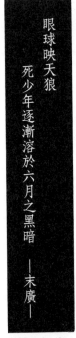

眼球映天狼
死少年逐漸溶於六月之黑暗
——末廣——

手淫千太 完

地獄一季

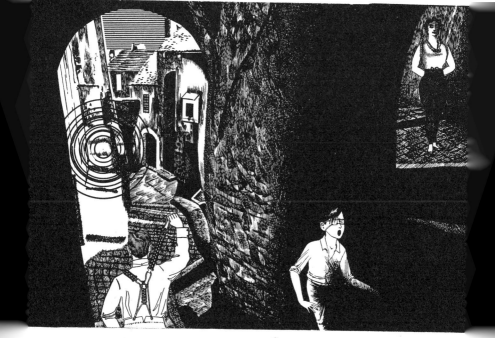

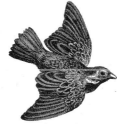

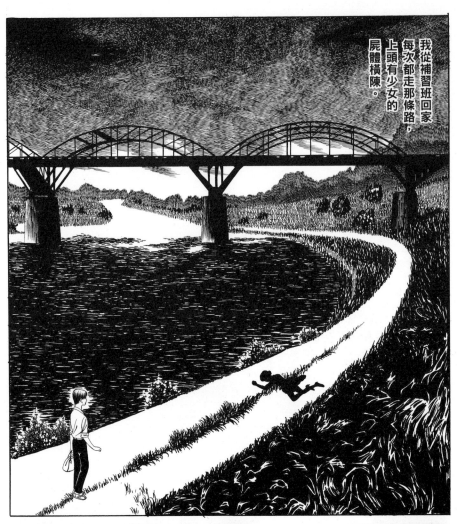

我從補習班回家，每次都走那條路，上頭有少女的屍體橫陳。

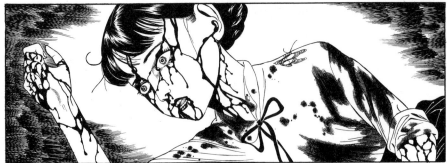

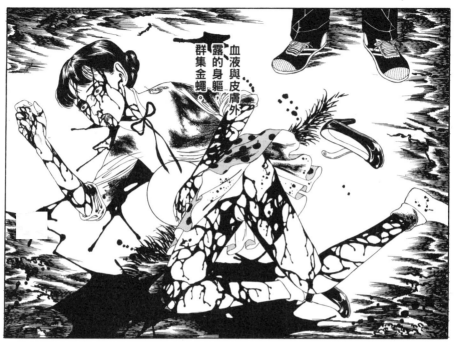

血液與皮膚外露的身軀，群集金蠅。

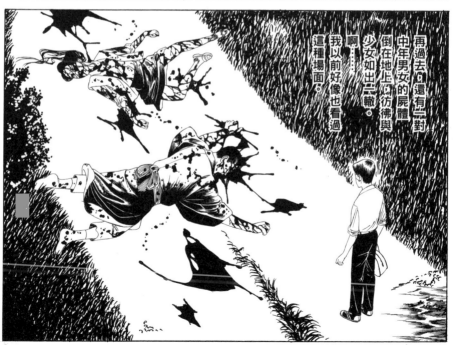

再過去，還有一對中年男女的屍體，倒在地上，彷彿與少女如出一轍。

啊。

我以前好像也看過這種場面。

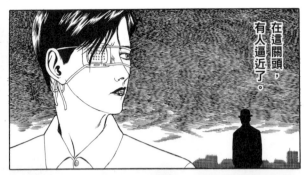

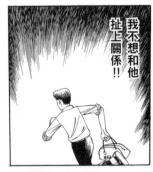

我不想和他扯上關係!!

在這關頭，有人逼近了。

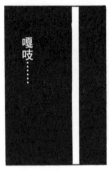

嘎吱……

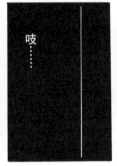

吱……

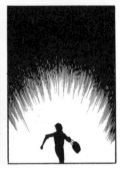

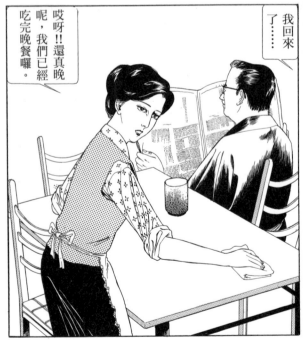

哎呀!!還真晚呢，我們已經吃完晚餐囉。

我回來了……

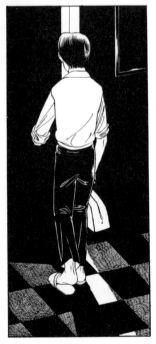

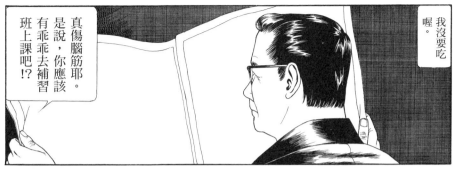

真傷腦筋耶。
是說，你應該
有乖乖去補習
班上課吧!?

我沒要吃
喔。

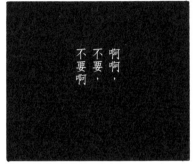

啊啊，
不要，
不要啊

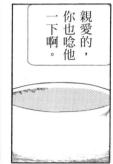

親愛的，
你也唸他
一下啊。

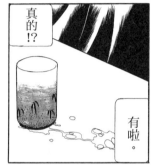

真的!?

有啦。

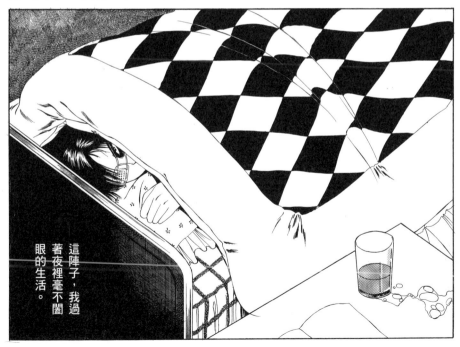

這陣子，我過
著夜裡毫不闔
眼的生活。

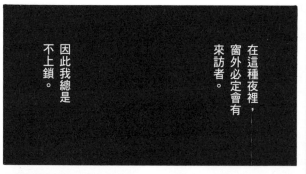

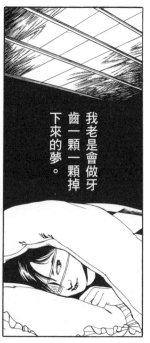

在這種夜裡，窗外必定會有來訪者。

因此我總是不上鎖。

我老是會做牙齒一顆一顆掉下來的夢。

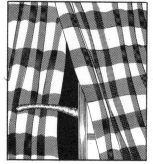

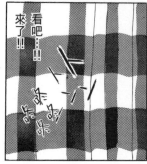

看吧⋯⋯!!來了!!

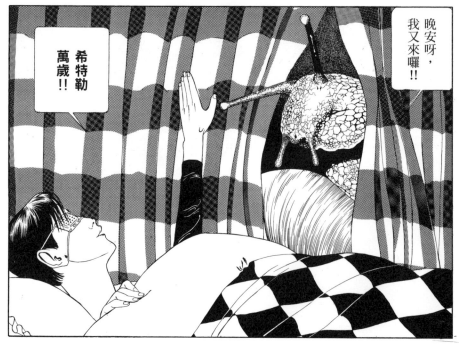

晚安呀，我又來囉!!

希特勒萬歲!!

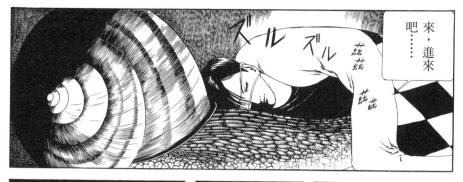

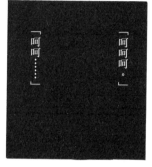

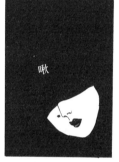

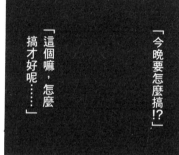

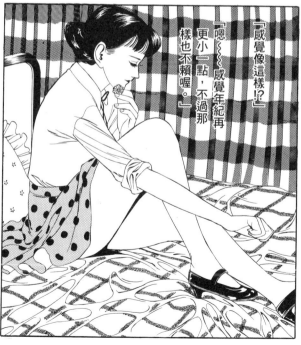

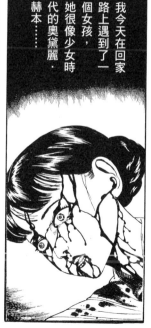

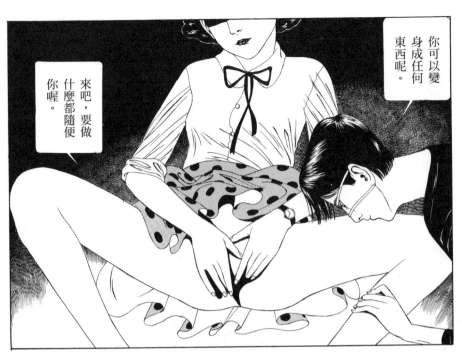

你可以變身成任何東西呢。

來吧，要做什麼都隨便你喔。

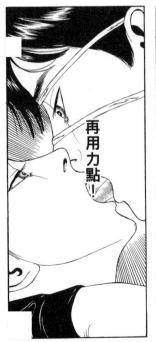

再用力點！

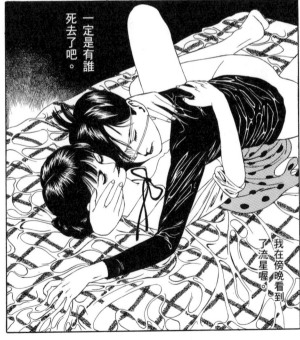

一定是有誰死去了吧。

我在傍晚看到了流星喔。

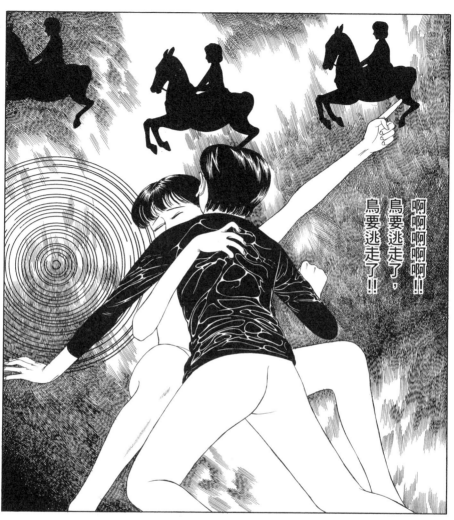

啊啊啊啊啊!!鳥要逃走了,鳥要逃走了!!

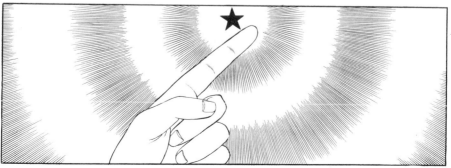

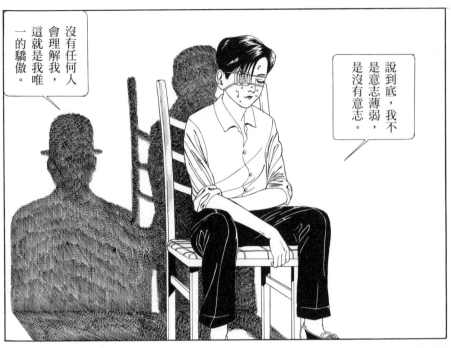

說到底，我不是意志薄弱，是沒有意志。

沒有任何人會理解我，這就是我唯一的驕傲。

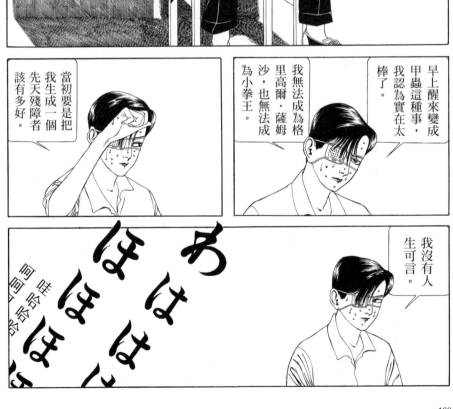

當初要是把我生成一個先天殘障者該有多好。

我無法成為格里高爾・薩姆沙，也無法成為小拳王。

早上醒來變成甲蟲這種事，我認為實在太棒了。

我沒有人生可言。

ほはほはほはほ
哇哈哈哈哈哈哈哈哈哈

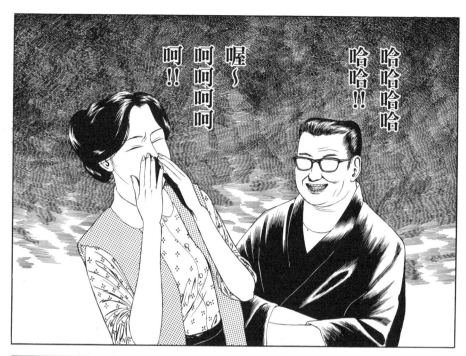

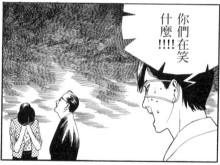

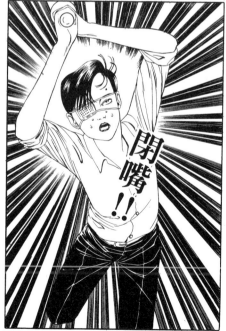

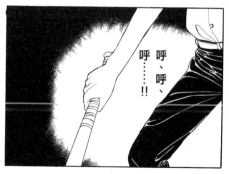

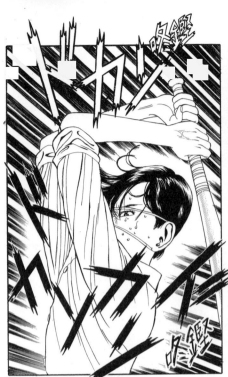
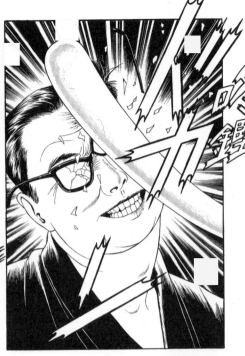
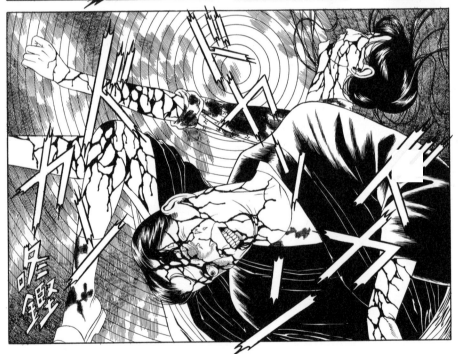

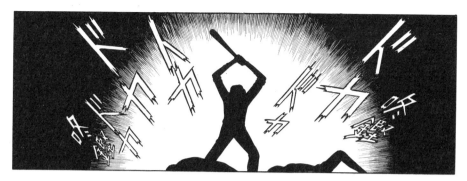

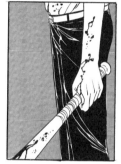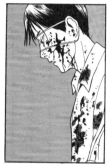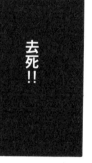

去死!!

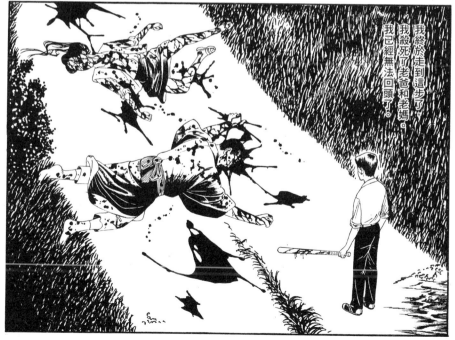

我終於走到這步了，
我殺死了老爸和老媽。
我已經無法回頭了。

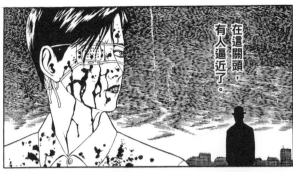

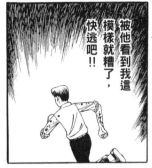

在這關頭，有人逼近了。

被他看到我這模樣就糟了，快逃吧！！

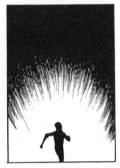

我一直跑，跑到跑不動為止，就這麼逃走了……

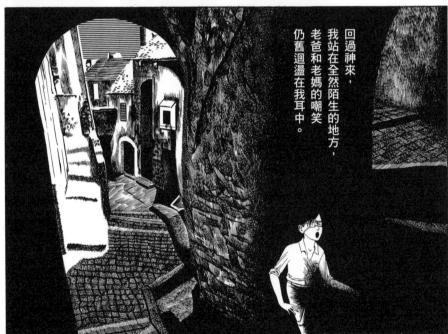

回過神來，我站在全然陌生的地方，老爸和老媽的嘲笑仍舊迴盪在我耳中。

地獄一季 完

美麗的日子

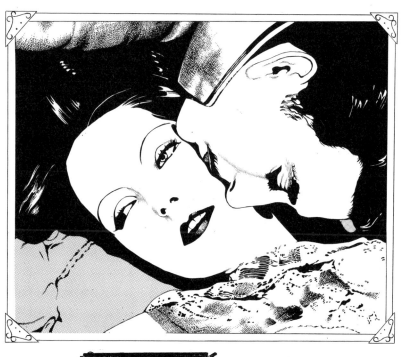

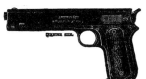

來!!
快想起來吧,
想起那
美麗的日子

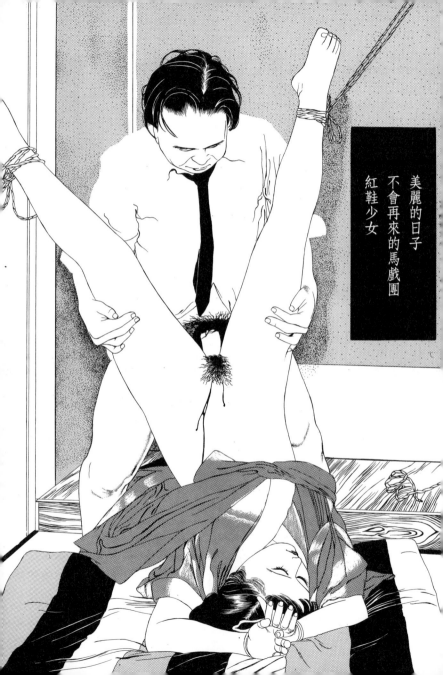

美麗的日子
不會再來的馬戲團
紅鞋少女

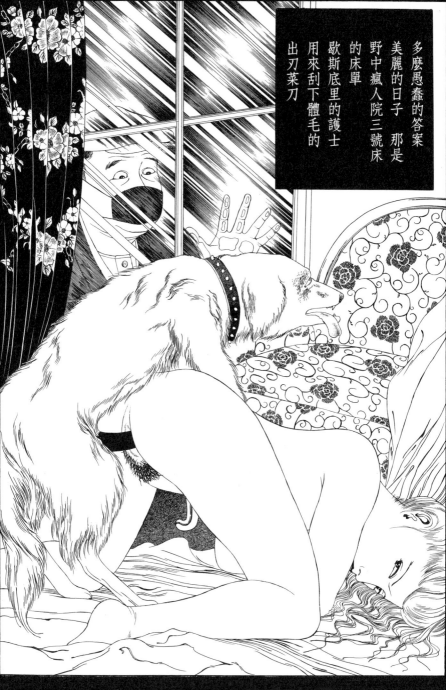

多麼愚蠢的答案
美麗的日子　那是
野中瘋人院三號床
的床單
歇斯底里的護士
用來刮下體毛的
出刃菜刀

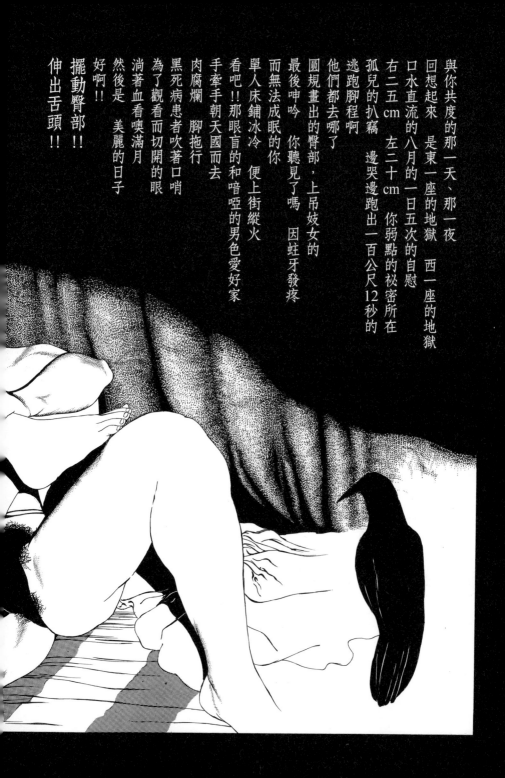

與你共度的那一天、那一夜
回想起來　是東一座的地獄　西一座的地獄
口水直流的八月的一日五次的自慰
右二五cm　左二十cm　你弱點的祕密所在
孤兒的扒竊　邊哭邊跑出一百公尺12秒的
逃跑腳程啊
他們都去哪了
圓規畫出的臀部，上吊妓女的
最後呻吟　你聽見了嗎　因蛀牙發疼
而無法成眠的你
單人床鋪冰冷　便上街縱火
看吧!!那眼盲的和喑啞的男色愛好家
手牽手朝天國而去
肉腐爛　腳拖行
黑死病患者吹著口哨
為了觀看而切開的眼
淌著血看噢滿月
然後是　美麗的日子
好啊!!
擺動臀部!!
伸出舌頭!!

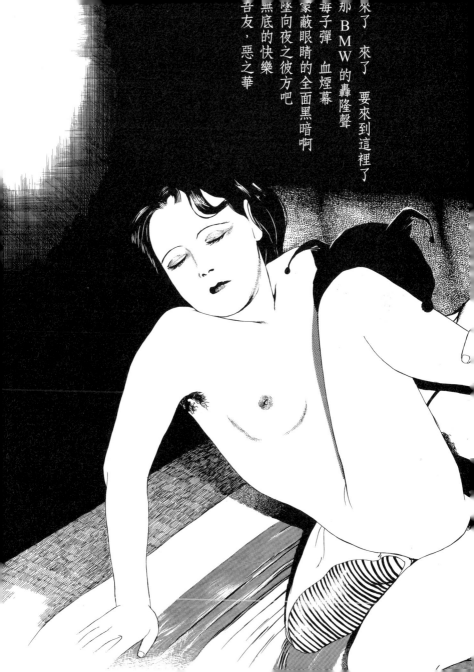

來了　來了　要來到這裡了
那ＢＭＷ的轟隆聲
每子彈　血煙幕
豪蔽眼睛的全面黑暗啊
墜向夜之彼方吧
無底的快樂
吾友，惡之華

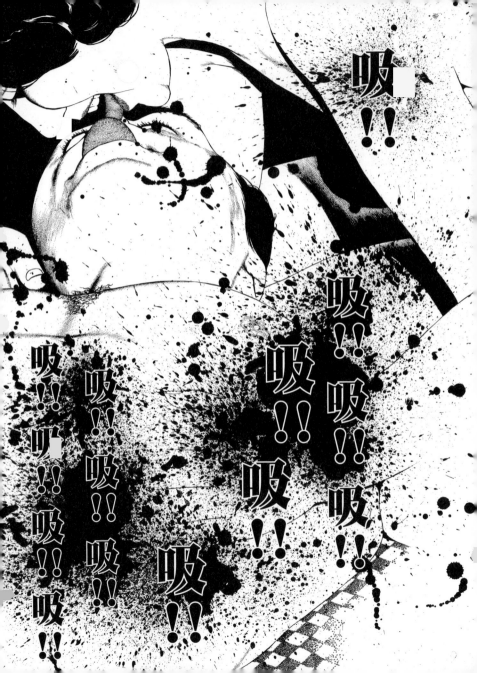

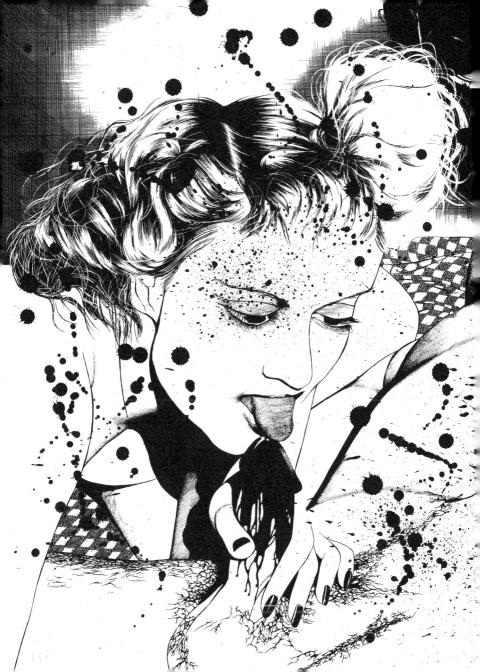

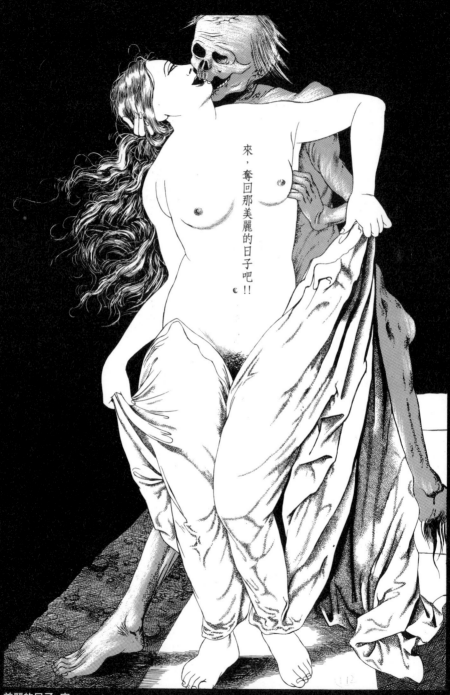

來，奪回那美麗的日子吧！！

美麗的日子 完

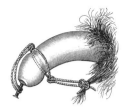

婦人衛生寶典

卵蛋的揑法

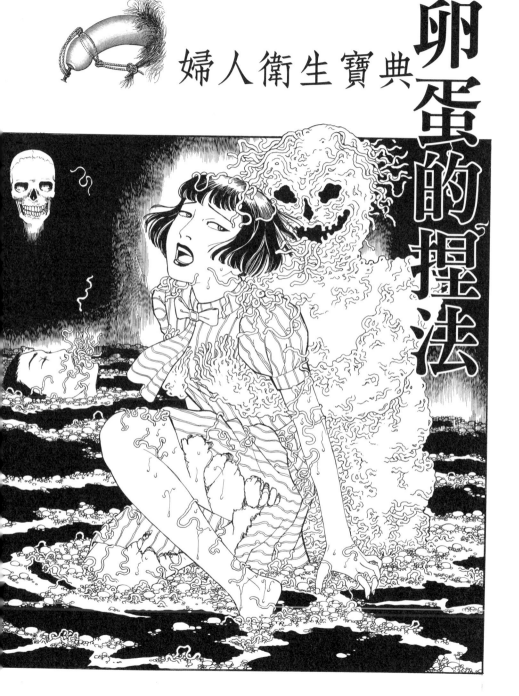

處女時代的衛生

（一）月經來潮時的正確養生法

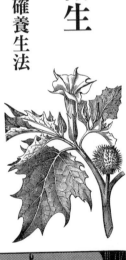

從少女成為處女

一般認為十三歲是女人生涯的第一危機，也就是俗稱的厄年，這指的應該是：女孩正好會在這年紀月經來潮。

雖然這是女孩子出生後注定迎來的生理變化，但對天真的少女而言，這肉體變化想必是極為巨大的吧。那是同年齡的男孩子徹底想像不到的身心變化。

在此同時，母親也會因「少女成為處女」感到莫大的歡喜，對她的孩子說：「妳變成女人了。」「妳已經是一個大人了。」等等。甚至從以前開始就有炊赤飯慶祝家有女兒初長成的習俗。

▲**私處的發育**　如果這時候由專門醫生進行看診，便能明確判定私處突然發育成熟了。

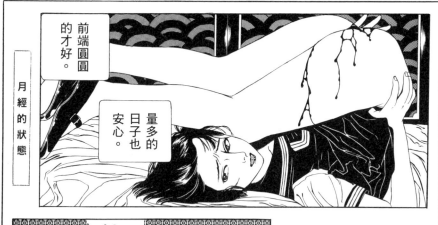

月經的狀態

前端圓圓的才好。

量多的日子也安心。

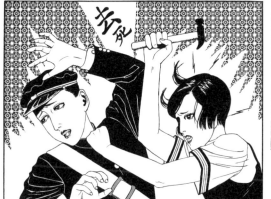

月經時的症狀

▲出血量

起先顏色淡，量也少，第二天開始會變成真正的血液，量也總是會變多。接著又會漸漸變少，然後變成混著血液的稀薄液體，最終停止出血。不過偶爾也會從第一天起，出血量就相當多…也有第三、第四天讓妳以為血幾乎已經流完，過一天又開始出血的情況。

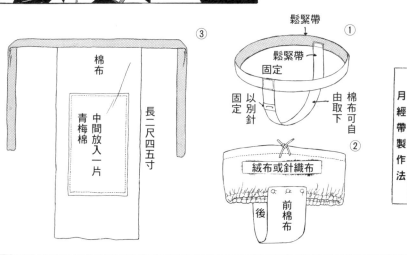

月經帶製作法

① 鬆緊帶
鬆緊帶固定
固定
棉布可自由取下
以別針固定

② 絨布或針織布
後　前棉布

③ 棉布
長二尺四五寸
中間放入一片青梅棉

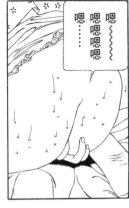

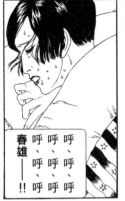

性方面的惡習

嗯〜〜嗯嗯嗯嗯
嗯……

▲動機　眾所皆知，有許多單身男子無法抑制本能的慾望，明知有害卻還是染上惡習。然而，染上這種惡習的處女也多到超乎預期。

其中一個動機，是在宿舍或工廠等團體起居生活處受到年長損友的感化，也有人是出身中等以下家庭，受雙親暗示而開始從事這種行為。又或者閱讀了淫亂書籍，藉由誘發肉慾的電影、遊戲、書籍等物壯大想像，漸漸陷入此等惡習。

呼、呼、呼、呼、呼
春雄——!!

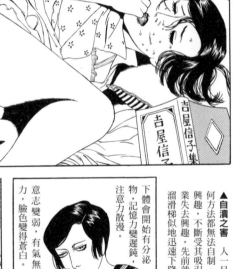

春雄!!

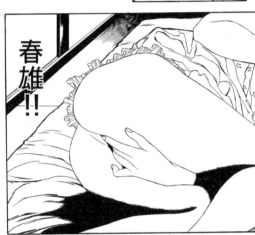

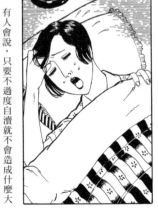

▲自瀆之害　人一旦染上這種習慣，嘗試任何方法都無法自制，會只對這方面的事產生興趣，不斷受其吸引，導致頭腦昏沉、對學業失去興趣。先前就算是資優生，成績也會溜滑梯似地迅速下降，這種情況很常見。

下體會開始有分泌物，記憶力變遲鈍，注意力散漫。

意志變弱，有氣無力，臉色變得蒼白。

有人會說，只要不過度自瀆就不會造成什麼大礙，但這種想法會成為大過錯的起因。一旦有了經驗，最後就會像習慣抽菸或鴉片的人那樣，明知自己在從事惡行卻還是越陷越深。

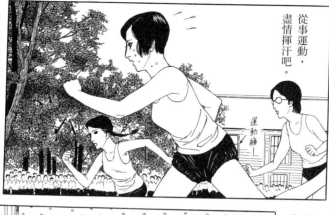

惡習的矯正法

從事運動，盡情揮汗吧。

運動褲

請看下面這些悲慘的實例。

〔例二〕

這是一位二十歲的女學生。她明知這樣不好、

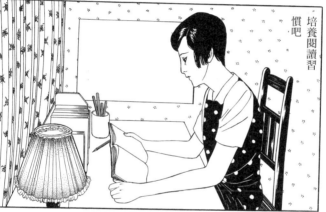

培養閱讀習慣吧

不對，卻沒有足夠強悍的意志，無法斷然擺脫惡習，拖泥帶水地持續下去，結果到了即將畢業這年，她患上了嚴重的神經衰弱症。

她持續失眠，簡直每晚都無法入睡，頭腦總是昏昏沉沉，感覺重得像頂著一個鍋子。就算待在家中也像半個病人，表情陰暗，因此雙親兒巴巴

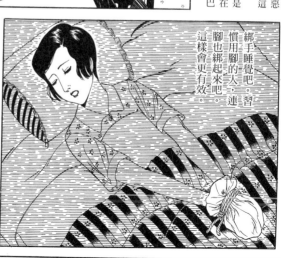

綁手睡覺吧。習慣用腳的人，連腳也綁起來吧。這樣會更有效。

地逼問她這是怎麼一回事。但她實在無法坦承原因。

習慣是很恐怖的，儘管她都進入這種狀態了，還是會幾近無意識地犯下過錯，有好幾次突然驚覺自己的行徑，才打消念頭。學校成績當然變差了，不管做什麼都沒有貫徹到最後的毅力。不僅如此，她還一直處在焦躁狀態中，碰上一點小事就會發火。其他時候，她又會在意起先前的一些小事，別人看來只會覺得「真無聊」的狀況都會令她坐立難安。（下略）

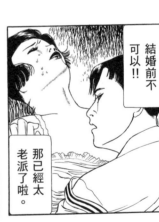
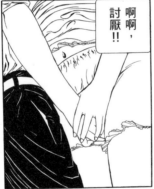
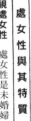
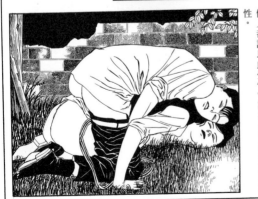

結婚婦人的衛生

在結婚之前

不、不行
啊，春雄!!

▲要重視處女性　處女性是未婚婦人擁有的大寶物，是燦爛的光芒，也是初婚婦人的一件禮物，贈送對象是她能夠發自內心感到驕傲的良人。

處女性與其特質

未婚婦人為何要如此重視處女性才行呢？了解貞操可貴之處的各位應該都明白這道理，不過從生理衛生的角度來看，未成年女子喪失處女性也是非常

啊啊，討厭!!

結婚前不可以!!

那已經太老派了啦。

不利於她們的事。換句話說，她們在進入能夠結婚的成年期之前，必須藉此方法預防病菌入侵自己寶貝的私處。

清淨無垢的身心，是初婚婦人進入婚姻生活時的莫大驕傲。而婦人若在婚前的年輕歲月不小心損傷了作為處女性表徵的部位，在結婚時也許會招致不幸的誤會。這是因為生理方面而言，只有這項生理特質能夠視為處女性的證據。關於這點，容後再敘。

我們經常聽聞古今未婚少女寧可捨棄生命也要徹底保護自身純潔的真實故事，其實任何人都該以此覺悟守護她值得驕傲的處女性。

夫婦該如何抑制慾望？

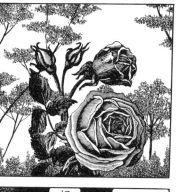

▲愛的調和祕訣　性愛問題要夫婦兩人共同盡力才有可能解決，兩人必須時常盡力追求調和與一致、思考生涯的幸福與愉悅才行。那要如何做到呢？首先，精神方面，要相互守信守義，透過愛去謀求親密交情。意即：

一、自己的偏好從事的行為，未取得對方同意就不要硬去做。

二、要帶著格外舒暢的心情，快活談笑。陰沉的臉色和陰鬱的內心都是禁忌。

三、不可太過放肆無顧忌。無顧忌乃嫌惡之因、爭執之種。一定要有禮。

還有，不可將夫妻家庭生活視為單純由性生活構成之物。

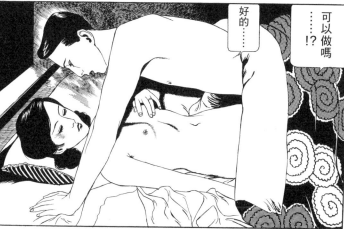

可以做嗎……!?

好的……

▲「八分飽不生病」　有句俗諺說「春三，夏六，秋四，無冬」，意思不是很清楚、不過有人認為「這應該是夫婦生活必須間隔的天數吧」，也有人說「這應該是開示了是一個月內的節度標準吧」，另外還有人認為「這是古代儒者訂下的四季節度基準，是抑制人類心猿意馬的鐵則」。

抑制慾望的各種方法

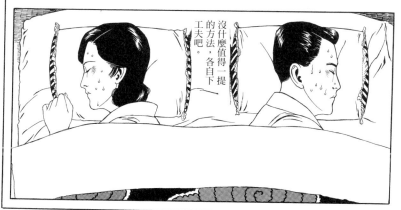

沒什麼值得一提的方法，各自下工夫吧。

119

何謂夫婦生活？

夫婦生活若經營得滿足、健全，兩人之間應該不會掀起任何波瀾才是。因為家庭的和諧、協力、繁榮，全都能夠由此出發，矯健地上路。

良人愛妻勞妻，妻子敬愛良人，身心相和，和睦共處，真正的家庭和諧才會由此湧出，至此可說，夫妻根本不會起爭執。

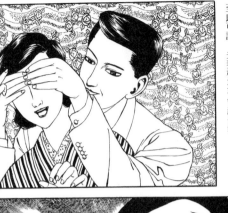

▲一切滿足都源自夫婦生活

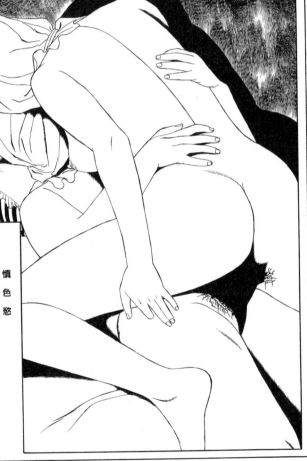

▲享樂本位的生活是禁忌　有人說：「灼熱的愛易冷卻。」那是因為人不懂珍惜，一時之間燃盡了愛的火焰。這不只是精神方面的問題，從健康角度看也是重大問題。

慎色慾

一、《素問》曰：腎者，五臟之本。因此，養生之道應重養腎。養腎不該只依賴藥補，應保精氣而不減之，納腎氣而不動之。

二、年輕時男女之慾旺盛、削減大量精氣者，雖天生活力充沛，但下部元氣減少、弱化五臟根本，必然短命。應慎之。

三、飲食男女乃人之大慾，行此兩事易縱情，故應戒慎。若不謹慎，致脾胃真氣減損，藥補食補亦無效用。

120

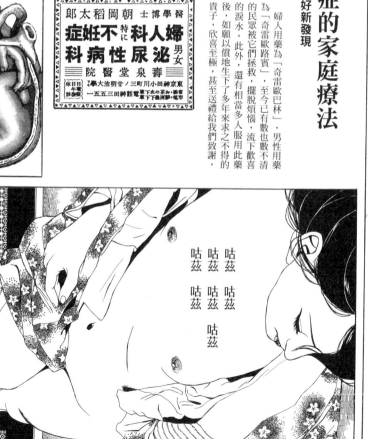

性冷感與不孕症的家庭療法

本領域權威朝岡醫學博士的美好新發現

這效果良好!!

人生最樂事乃性生活，然而世上也有不少人無法蒙受此惠、過著寂寞的生活。

為了幫助如此不幸的民眾，婦產科權威、知名醫學博士朝岡稻太郎展開長年苦心研究，終於完成了優良的藥物，由主婦之友社代理部發售。

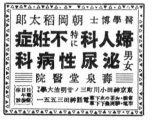

醫學博士 稻岡朝太郎

特に

婦人科 不姙症
泌尿性病科 男女

壽泉堂醫院

東京神田小川町三ノ廿明治大學
電話神田三五五一

休日日曜
午前診察

婦人用藥為「奇雷歐路賓」，男性用藥為「奇雷歐巴林」，至今已有數也數不清的民眾被它們拯救，擺脫煩惱、流下歡喜的淚水。此外，還有相當多人服用此藥後，如願以償地生下了多年來求之不得的貴子，欣喜至極，甚至送禮給我們致謝。

咕茲 咕茲
咕茲 咕茲
咕茲 咕茲
咕茲
咕茲

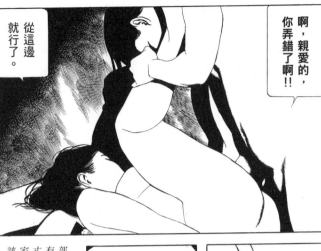

健全的夫婦之愛

啊，親愛的，你弄錯了啊!!

從這邊就行了。

如何獲致和諧的夫妻之愛？（啊!!親愛的，你弄錯了呀）

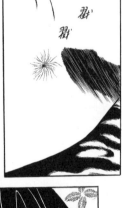
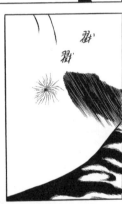

啊啊
啊啊
啊

嗽
嗽

夫婦和合的祕訣如下

▲閨房專屬於夫婦　夫婦之愛的交涉，乃完全專屬於夫婦之事。閨房的祕密與親密對話也必須只限夫婦共享，不該容許第三者的存在。

▲像這樣的家庭悲劇發生過無數次　其他部份已詳述過：失去夫婦圓滿生活，不可能保有家庭平安。儘管我們不能說，世間會有許多丈夫放蕩、妻子找其他人丈夫談戀愛，全都是家庭生活不滿所致，但將它認定為一大原因應該也無妨吧。

有健康的妻子在，還會有什麼愛的不滿呢？丈夫淫亂的情況先不論，大家應該很清楚：一個家庭受惠於真正的夫婦之愛時，才會展現出真正的和諧之姿。

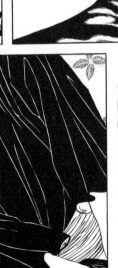

夫婦之愛不和諧的衍生問題

▲歇斯底里就是這樣產生的　如各位所知，歇斯底里是擁有素質的人才會發作的疾病，不過如前所述，夫婦之愛的不協調有可能成為誘發原因。

睡不著!!

睡不著!!

想做，
不想做，
想做，
不想做，
想……

不做，
不做，
不做，
不做，
不做，
……

所謂的性愛是肉體的，也就是根本性的狂熱帶來的出色的和諧性，簡而言之，它是世俗性的心醉神迷，因此原始性的欠缺才會與其交錯……

和美、由美子、吉江、春子、英子、小牧……

做可樂餅最理想的馬鈴薯的種薯　薯不會爛農藥純度很高以類似捏卵蛋的方式包裹麵衣才好順利的話再找2個、3個想要找洞播種的傢伙

妊娠中的夫婦該如何節制?

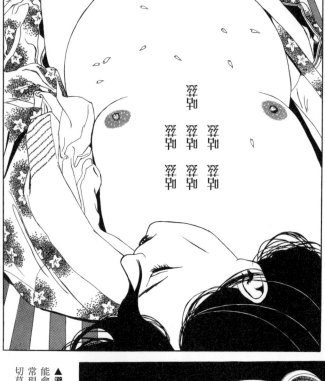

▲凡事都要小心 因此，若丈夫沒有不良疾病、孕婦身體也無異狀，妊娠並不會對平常的夫婦生活造成妨害，只要小心行事即可。這一點適用於孕期的所有階段。

自己家裡的廁所在施工，因此去借別人家的廁所。

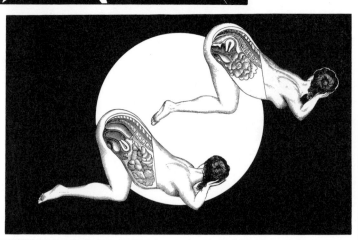

▲避免勉強妻子 然而，孕期後半，母體的慾望可能會衰退，甚至會有一段時間完全消失，這都屬正常現象。再加上孕婦面臨著巨大的生理變化，丈夫切莫逼迫妻子勉強行房。

性病者日常生活須知

性病是這麼可怕的疾病

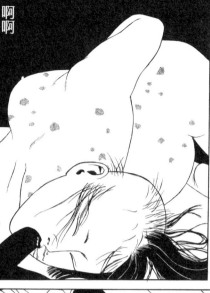

啊啊
要融化了
要融化了

病菌潛伏期比淋病長上許多，最初症狀顯現要等待三、四週後。大多數淋病都只會影響局部，但梅毒本有的性質則非如此，它會侵犯全身，因此和肺結核一樣分為第一、第二、第三期。

第一期是最早發生自覺症狀的階段，情形如下：男子的話，包皮會長出紅豆或一錢硬幣大小的硬結（硬塊），接著很快會變成紅色浮腫，最後表皮會一點一點剝落。接下來會產生少量分泌物，同時伴隨局部潰瘍，彷彿變得糜爛。病情再進展下去，胯下的淋巴腺會腫起，長出所謂的橫痃。

然而，梅毒的這些症狀幾乎不會帶來折磨人的疼痛，病患常常會明知自己已感染，卻放任不管，讓病狀逐漸惡化，如此結果並不少見。橫痃（硬性下疳）雖然一律以此名稱之，但其中並不疼痛的那些才是感染梅毒所致的惡性產物，應嚴加警戒。

▲這就是梅毒　如上所述，淋菌入侵尿道、陰道，引發疾病，而梅毒菌則會透過皮膚或黏膜的傷口傳染。因此，完全沒受傷時可免受傳染，但只要有極輕微的傷口便會立刻遭到病菌入侵，應做好「和帶原者交合必定會被傳染」的覺悟。

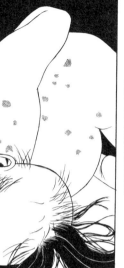

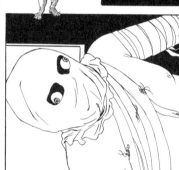

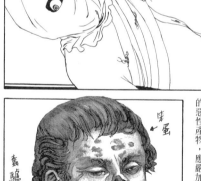

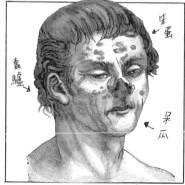

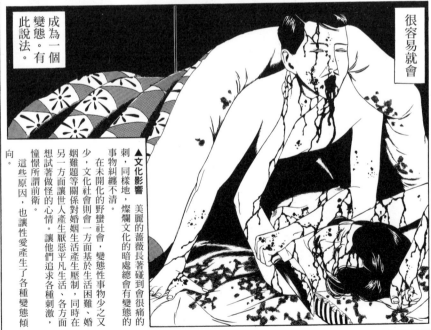

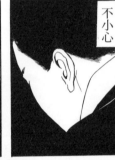

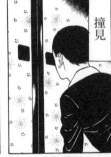

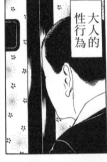

嫁給變態丈夫須知

原因與其傾向

小時候

不小心

撞見

大人的性行為

很容易就會

成為一個變態。有此說法。

▲文化影響　美麗的薔薇長著會碰到會很痛的刺，同樣地，燦爛文化的暗處總會有變態的事物糾纏不清。

在未開化的野蠻社會，變態性事物少之又少，文化社會則會一方面基於生活困難、婚姻難題等關係對婚姻生活產生壓制，同時在另一方面讓世人厭惡平凡生活、各方面想試著做怪的心情。讓他們追求各種刺激，憧憬所謂前衛，

這些原因，也讓性愛產生了各種變態傾向。

126

▲手淫引起的變態

比起同性戀，手淫習慣更容易引起變態傾向，容易太多了。

有些人手淫習慣慢性化，到達所謂慣性自慰的程度，在婚後會面臨感覺遲鈍或陽Ｘ等狀況，使得夫婦之愛孕育出不滿，家庭容易面臨不如意。

孩子啊，你在吧？

請你出來啊。

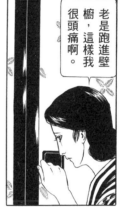

基於這類原因產生變態傾向者，往往感覺遲鈍，或完全沒有快感，只好另下其他工夫，追求非尋常的手段。這樣的變態又細分為許多種類，各有不同的治療手段。

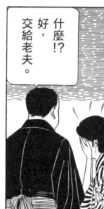

老是跑進壁櫥，這樣我很頭痛啊。

什麼!？好，交給老夫。

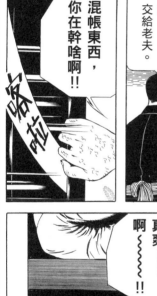

混帳東西，你在幹啥啊!!

喀拉

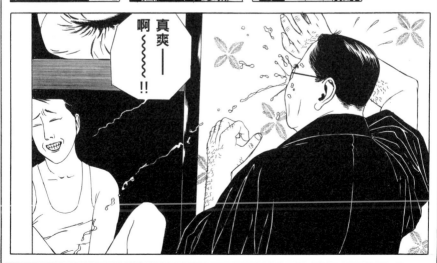

真爽——啊～～!!

127

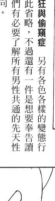

男性共通的性癖

▲虐待狂與偷窺症 另有各色各樣的變態行為，在此省略，不過還有一件是想要奉告讀者：我們有必要了解所有男性共通的先天性變態傾向。

如何？
很棒吧！！

老公，可以放我出去了吧，啊啊！！

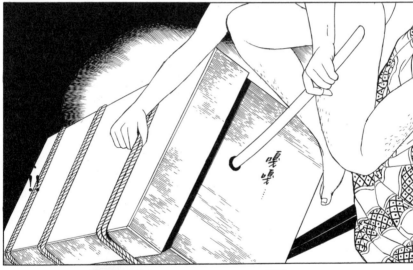

嘿嘿…

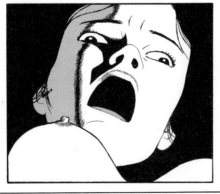

那就是虐待狂（喜歡折磨對方的性癖），以及偷窺狂兩種。兩者都屬於變態傾向，而且是所有男性都擁有的傾向。

當然了，這些傾向的程度因人而異，但每個男性都有乃屬事實。

在某新婚家中，新娘想要關掉電燈，新郎卻反對關燈。這麼一來，才新婚沒多久的兩人就產生了不圓滿。

醫師聽新娘訴說情況後，如此回答她：「你們立刻就能圓滿了。妳只要先試著聽從尊夫的意見就行了。」從此之後，這新家庭過起了鄰居欽羨的圓滿生活。實例在此，希望大家好好玩味。
（高田義一郎博士）

卵蛋的捏法　完

128

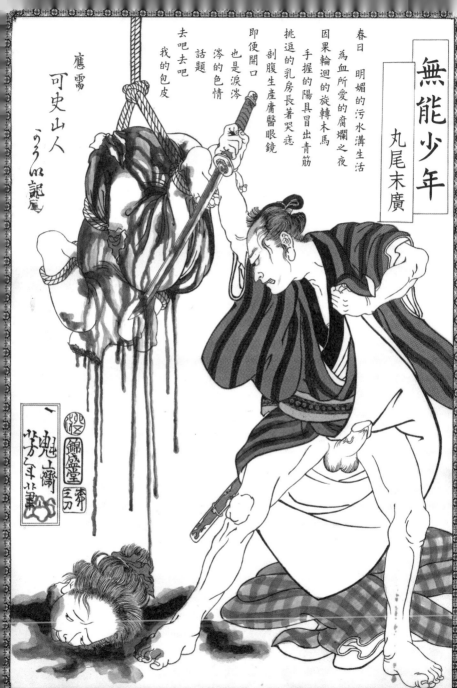

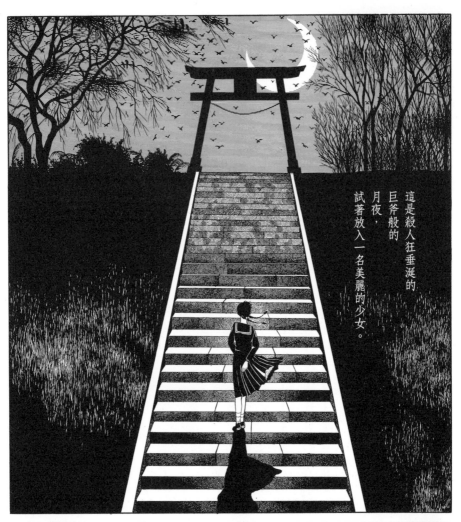

這是殺人狂垂涎的巨斧般的月夜，試著放入一名美麗的少女。

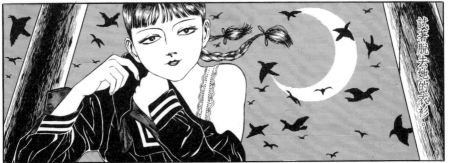

試著脫去她的衣衫。

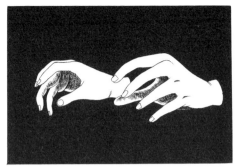
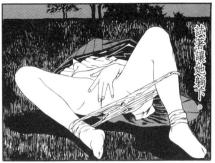

試著讓她躺下。

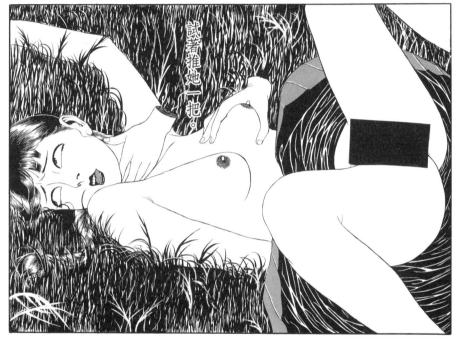

試著推她一把。

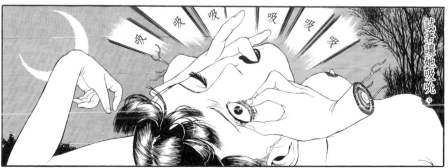

吸 吸 吸 吸 吸

試著讓她吸吮。

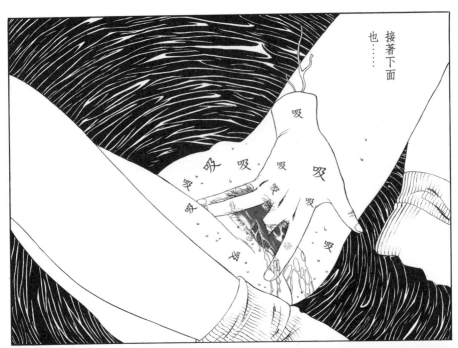

接著下面
也……

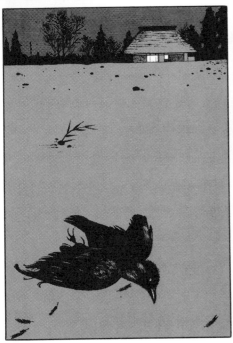

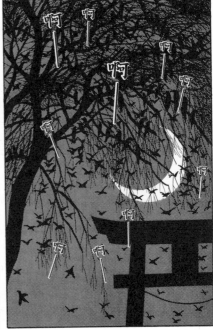

132

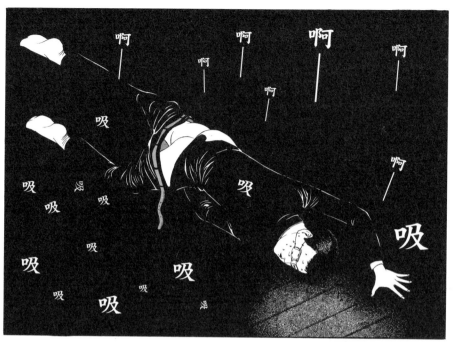

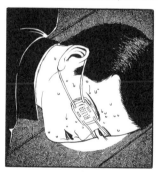
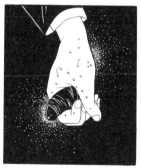
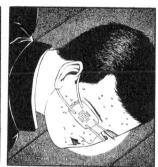

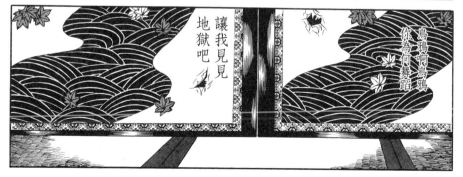

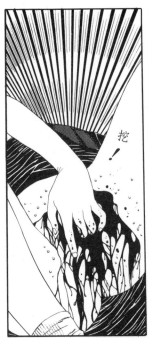
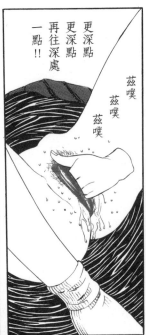
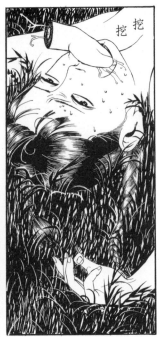
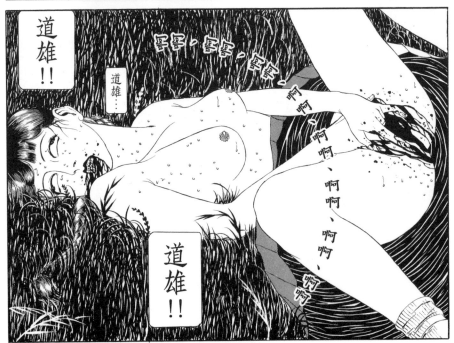

134

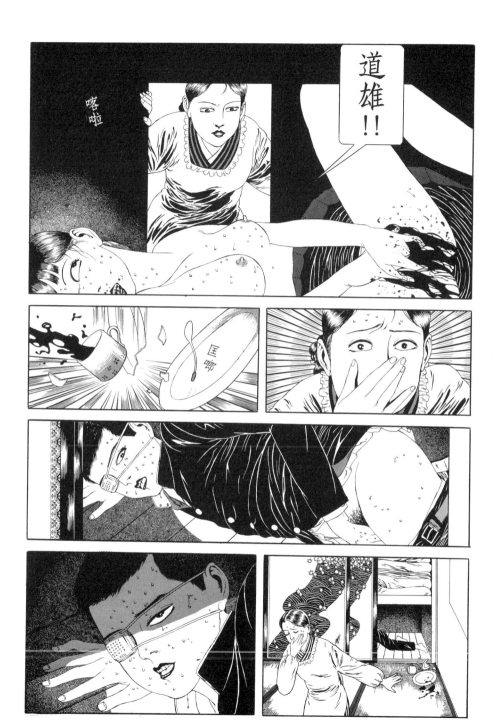

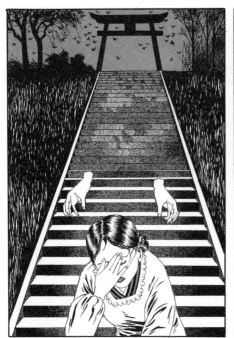
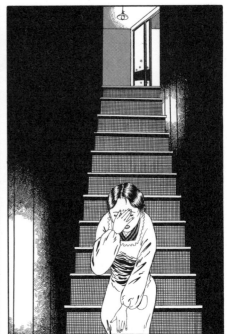
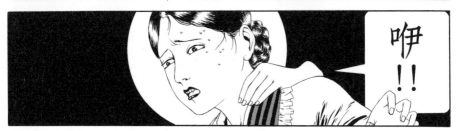

咿
!!

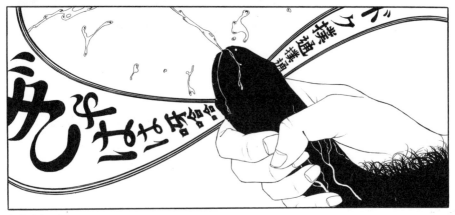

無能少年 完

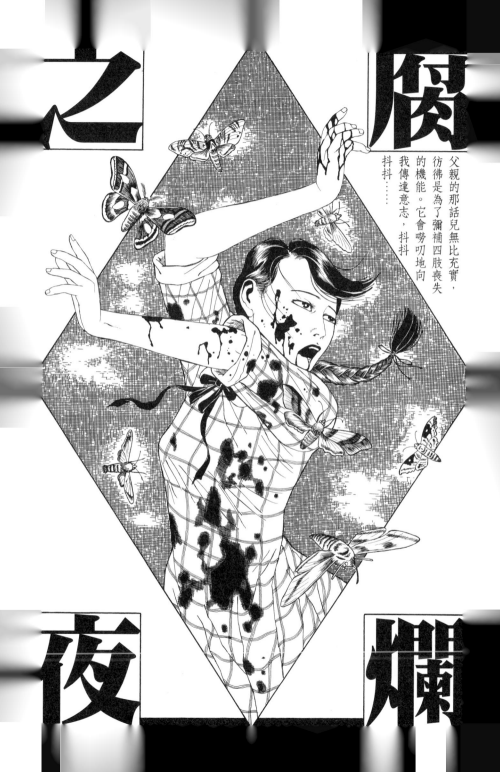

腐

父親的那話兒無比充實，
彷彿是為了彌補四肢喪失
的機能。它會嘮叨地向
我傳達意志，抖抖
抖抖……

之

夜　爛

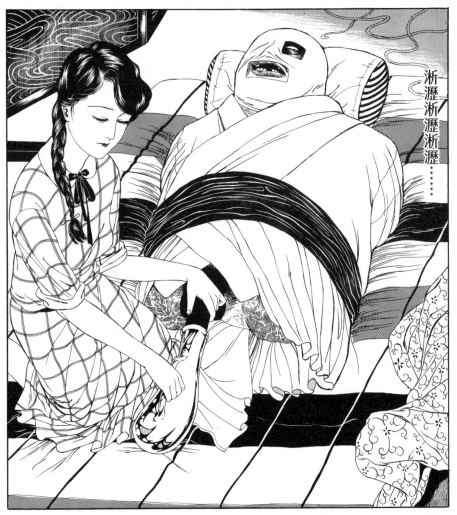

淅瀝淅瀝淅瀝……

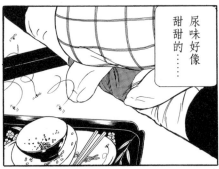

尿味好像
甜甜的……

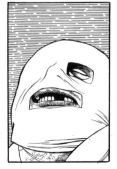

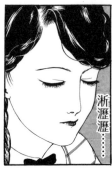

淅瀝瀝……

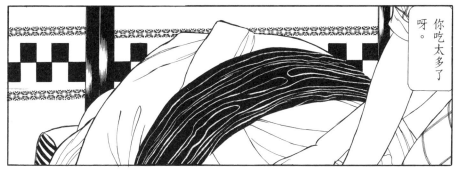

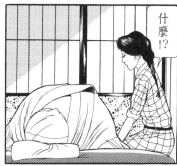

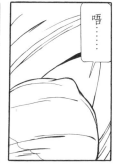

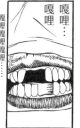

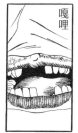

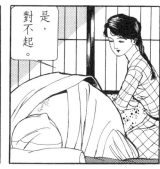

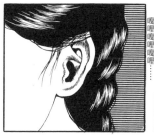

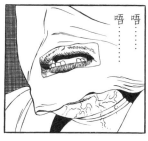

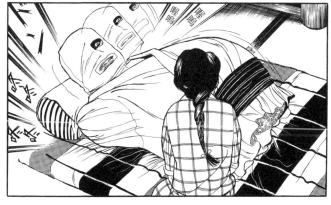

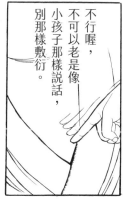

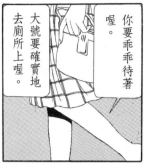
你要乖乖待著喔。

大號要確實地去廁所上喔。

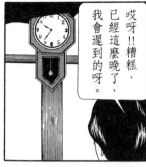
哎呀!!糟糕,已經這麼晚了,我會遲到的呀。

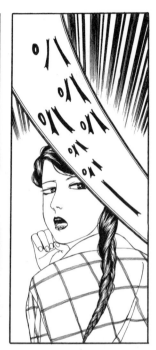

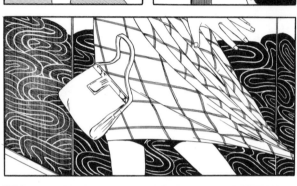

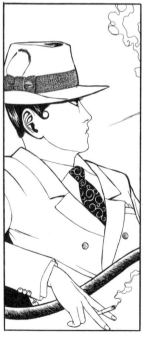

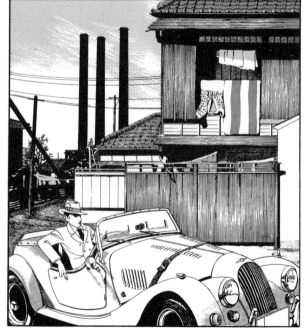

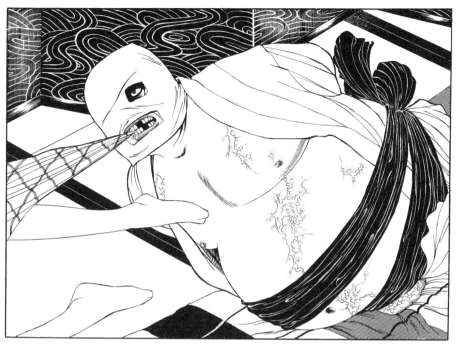

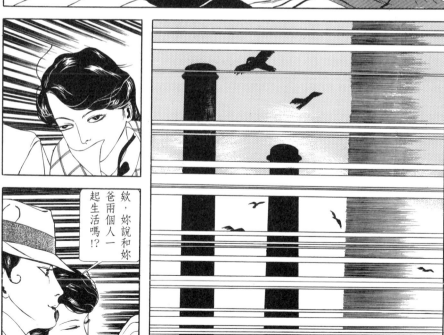

欸，妳說和妳爸兩個人一起生活嗎!?

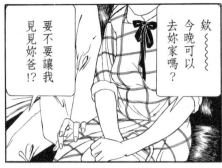

欸~~~~
今晚可以
去妳家嗎？

要不要讓我
見見妳爸
!?

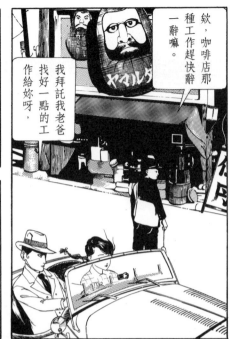

欸，咖啡店那
種工作趕快辭
一辭嘛。

我拜託我老爸
找好一點的工
作給妳呀，

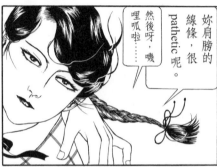

妳肩膀的
線條，很
pathetic 呢。

然後呀，嘰
哩呱啦……

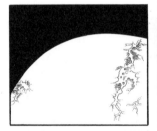

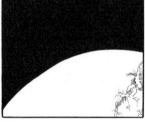

嘰哩
呱啦
嘰哩
呱啦
嘰哩
呱啦……

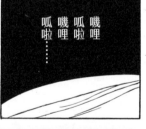

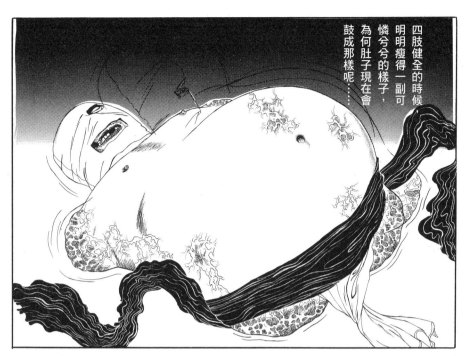

四肢健全的時候
明明瘦得一副可
憐兮兮的樣子，
為何肚子現在會
鼓成那樣呢⋯⋯

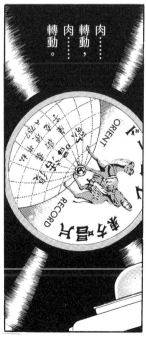

肉⋯⋯
轉動，肉⋯⋯
轉動。

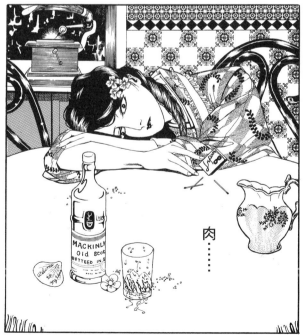

肉⋯⋯

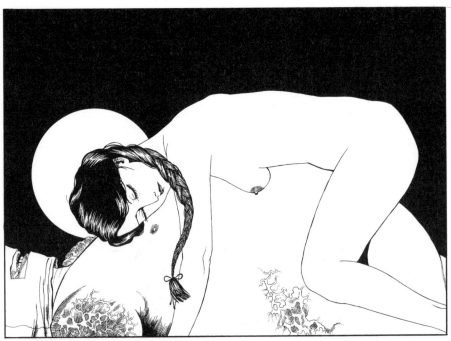

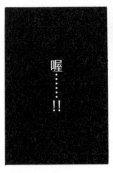

喔……!!

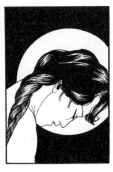

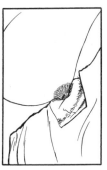

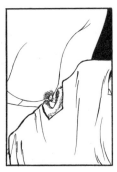

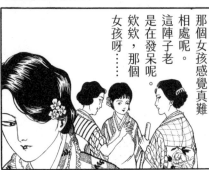

那個女孩感覺真難
相處呢。
這陣子老
是在發呆呢。
欸欸，那個
女孩呀……

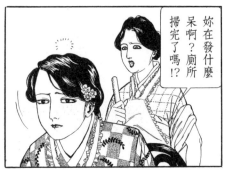

妳在發什麼
呆啊？廁所
掃完了嗎!?

144

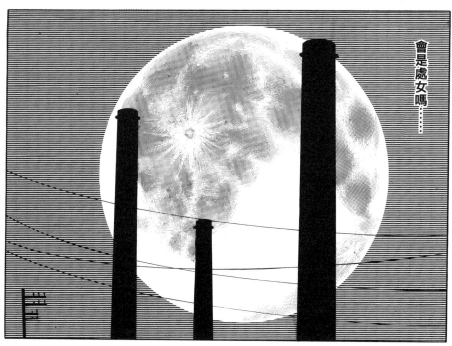

會是處女嗎……

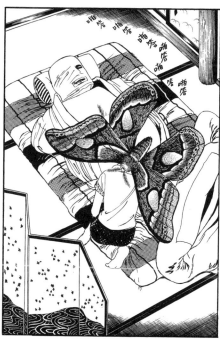

咕嚕 咕嚕 咕嚕嚕嚕 咕嚕

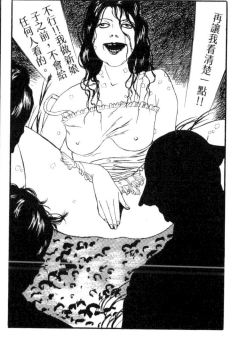

不行!!我做新娘子之前,不會給任何人看的。

再讓我看清楚一點!!

145

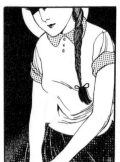
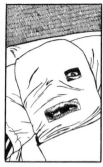
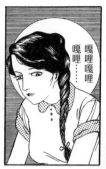
嘎哩嘎哩
嘎哩‥‥‥
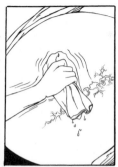
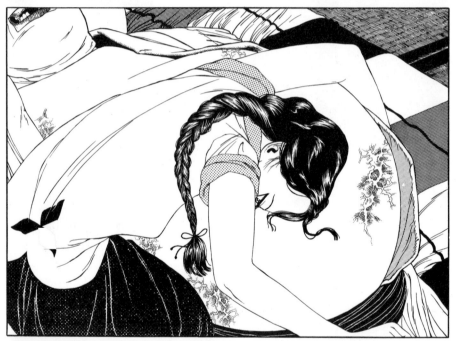
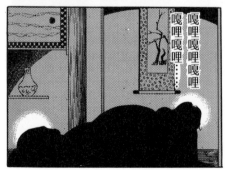
嘎哩嘎哩嘎哩
嘎哩嘎哩‥‥‥
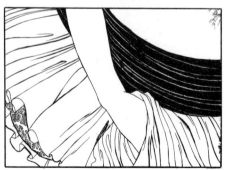

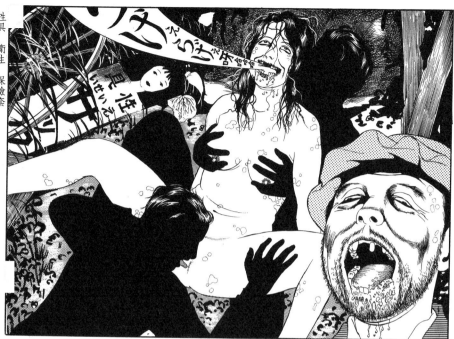

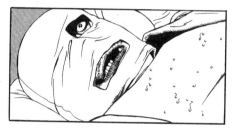

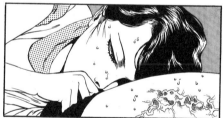

喔呼呼
……
喔
……

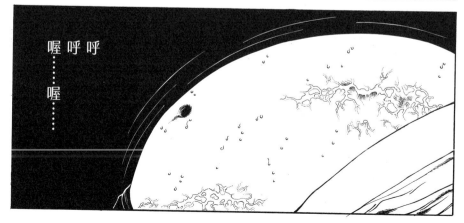

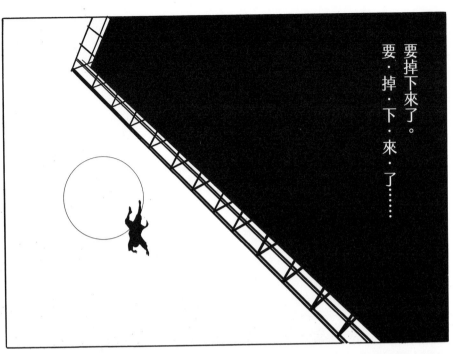

要掉下來了。

要・掉・下・來・了⋯⋯

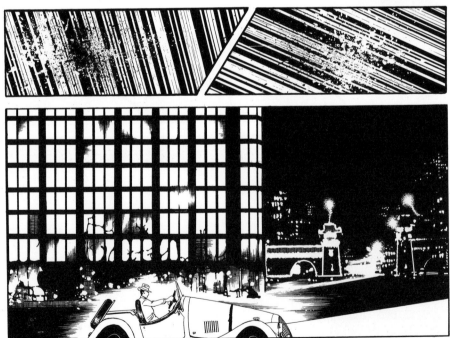

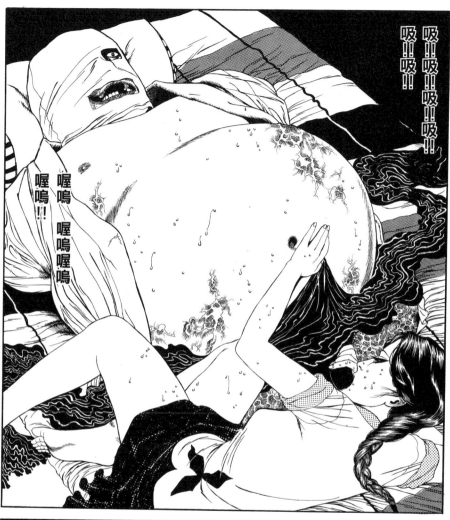

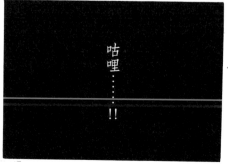

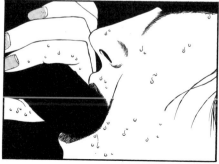

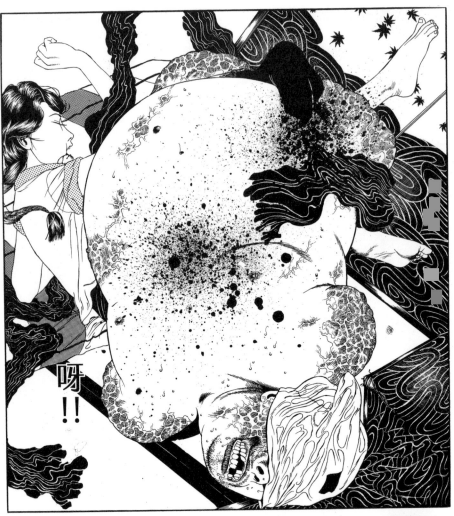

呀
!!

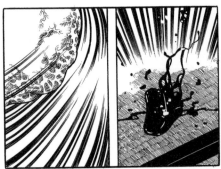

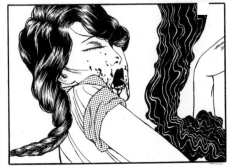

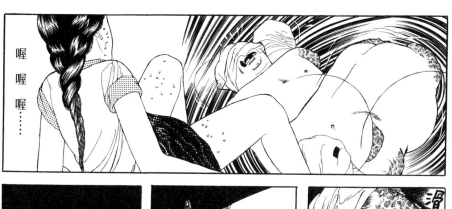

喔
喔
喔
⋯⋯

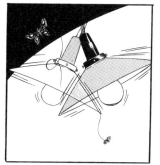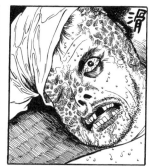

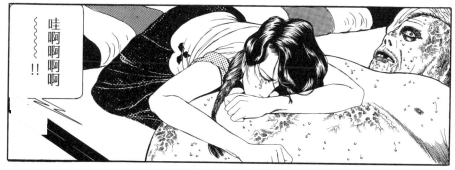

哇
啊
啊
啊
啊
啊
⋯⋯
！！

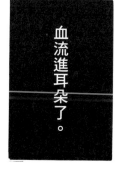血流進耳朵了。

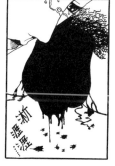

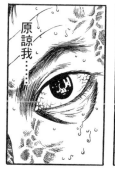原諒我⋯⋯

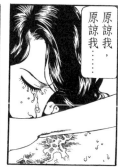原諒我，原諒我⋯⋯

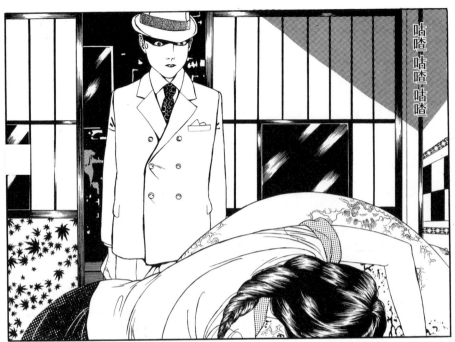

咕喳・咕喳・咕喳

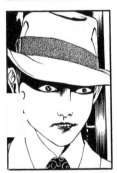

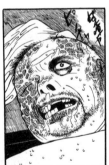

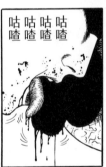

咕咕咕咕
喳喳喳喳

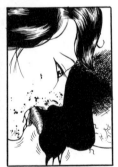

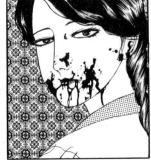

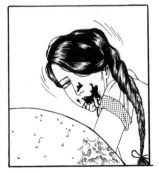

腐爛之夜・伊底帕斯的黑鳥 完

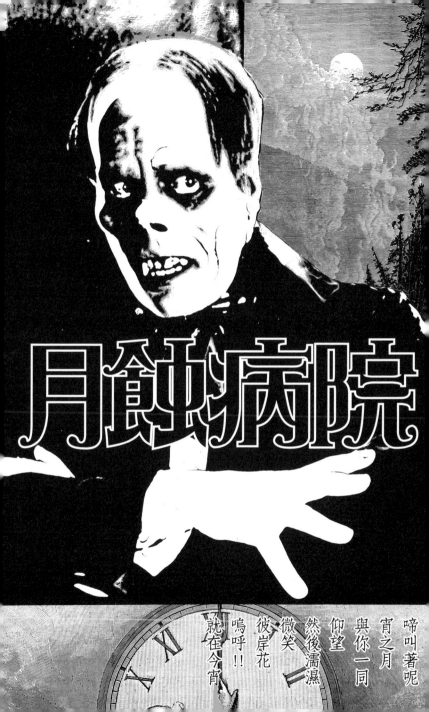

月蝕病院

啼叫著呢
宵之月
與你一同
仰望
然後濡濕
微笑
彼岸花
嗚呼!!
就在今宵

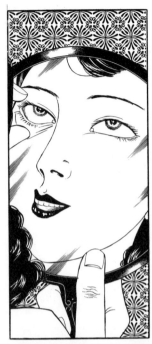
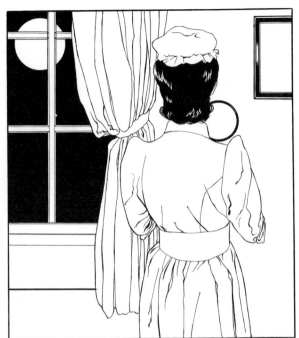
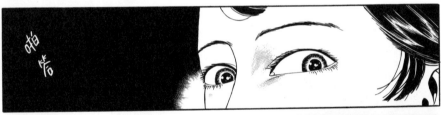
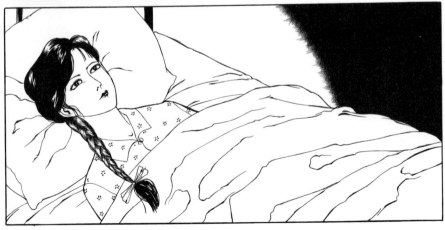

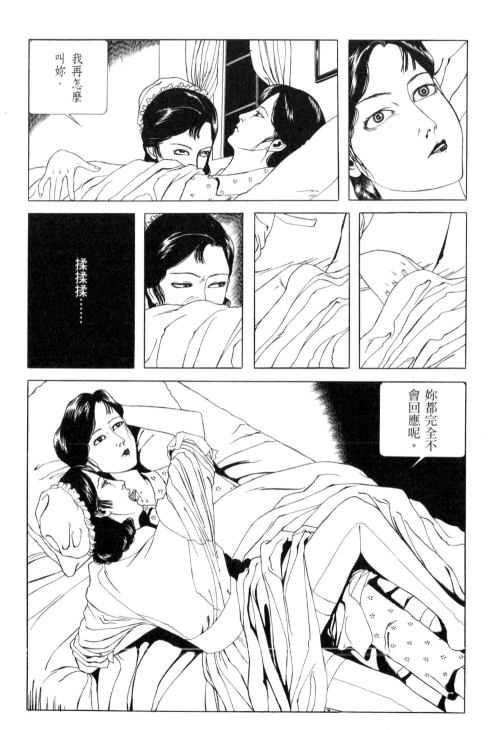

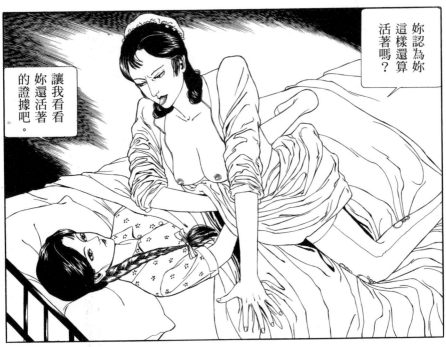

妳認為妳這樣還算活著嗎？

讓我看看妳還活著的證據吧。

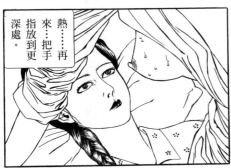

熱……再來，把手指放到更深處。

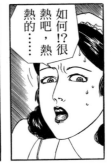

如何!?很熱吧，熱的……

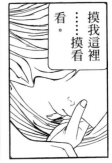

摸我這裡……摸看看。

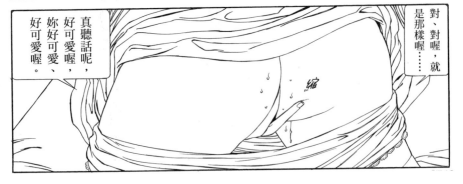

對、對喔，就是那樣喔……

真聽話呢，好可愛喔，妳好可愛、好可愛喔。

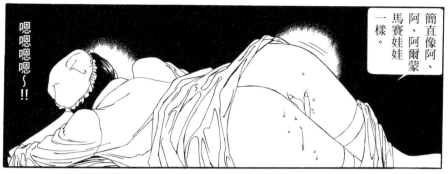

簡直像阿、阿、阿爾蒙馬賽娃娃一樣。

嗯嗯嗯嗯～!!

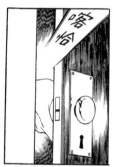

喀答

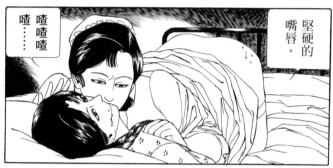

堅硬的嘴唇。

喳喳喳喳⋯⋯

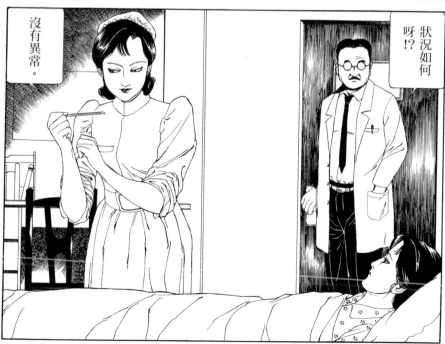

沒有異常。

狀況如何呀!?

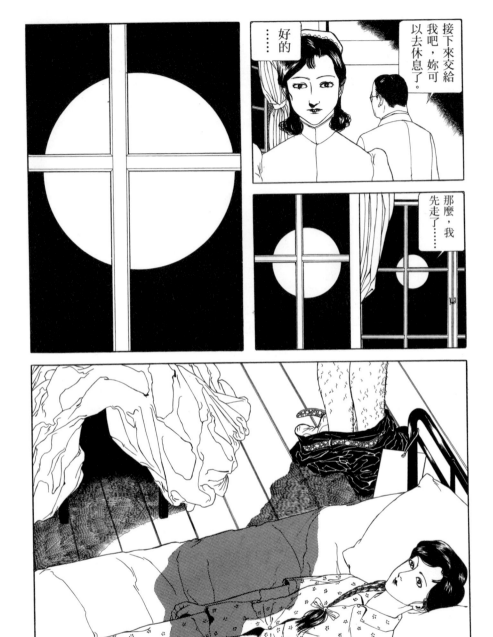

158

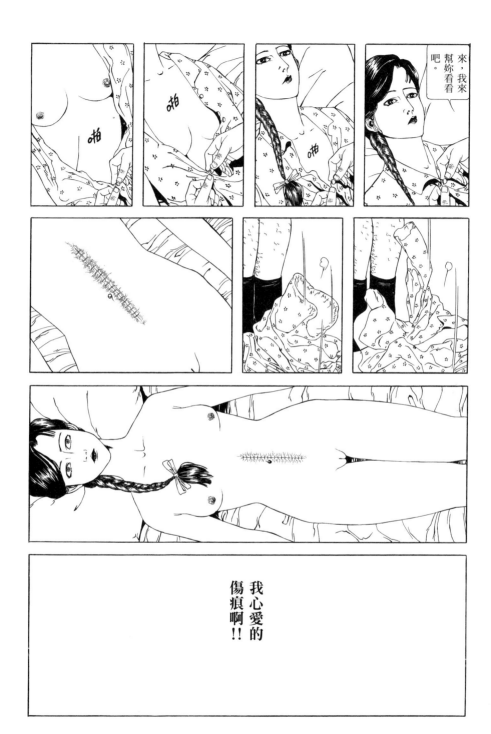

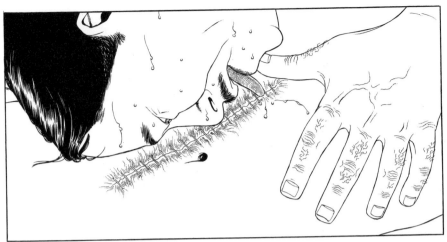

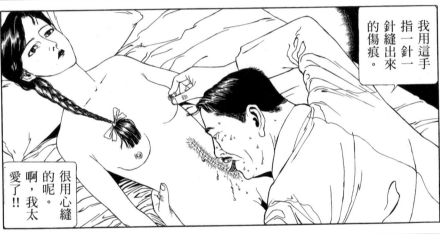

我用這手指一針一針縫出來的傷痕。

很用心縫的呢。啊,我太愛了!!

多虧我,妳才活了下來呢。

來,用妳可愛的嘴唇含住這個。

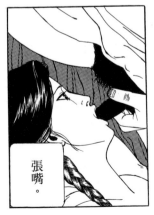

張嘴。

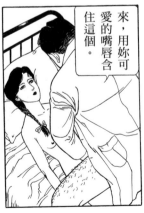

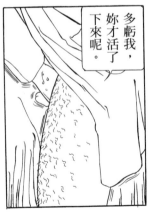

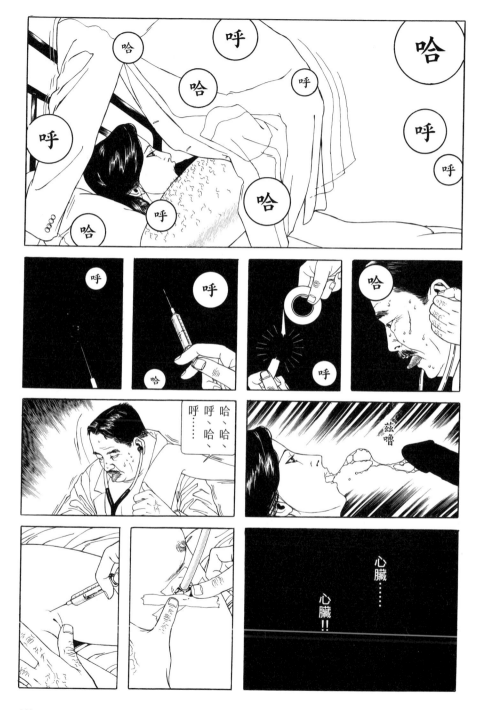

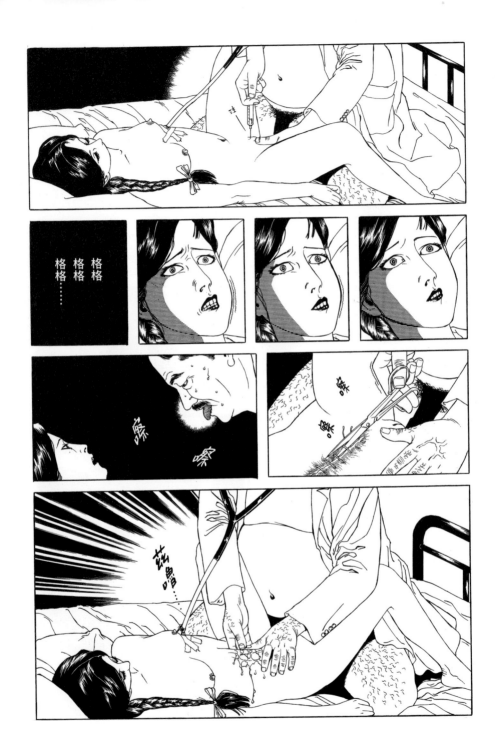

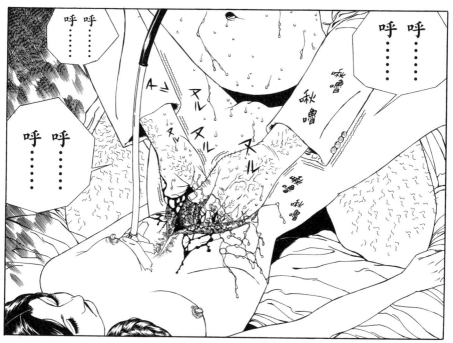

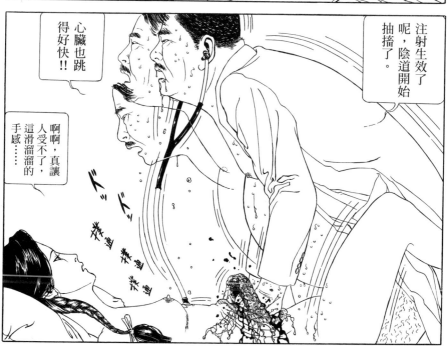

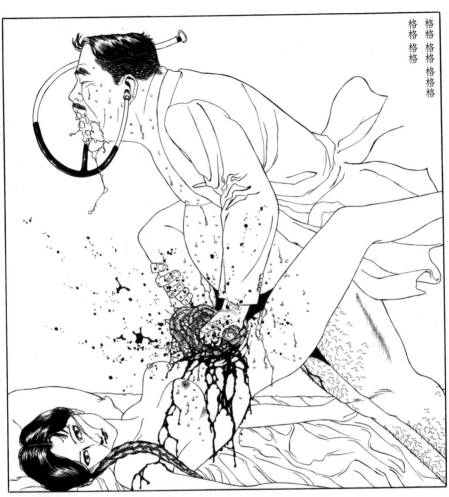

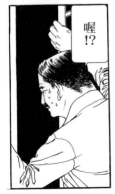

喔!?

窗戶什麼時
候開了…

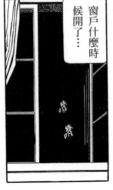

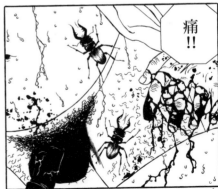

痛!!

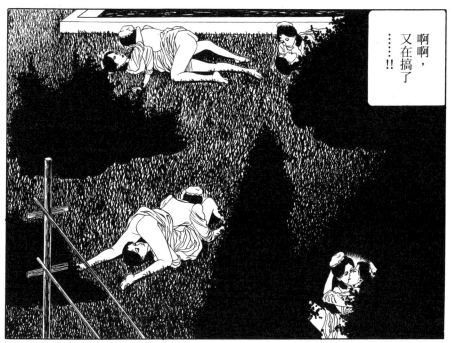

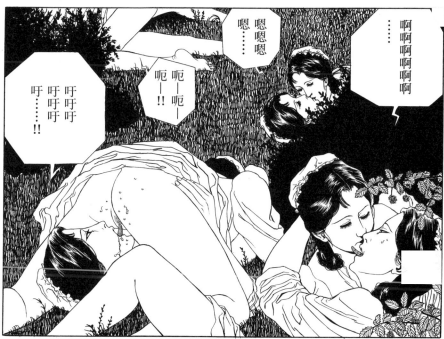

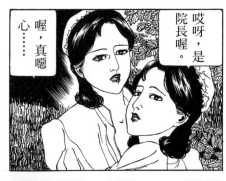

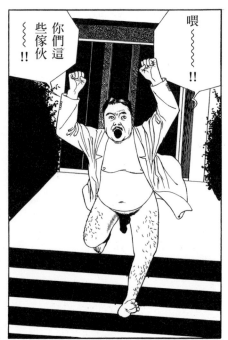

喔，真噁心⋯⋯

哎呀，是院長喔。

你們這些傢伙！！

喂～～！！

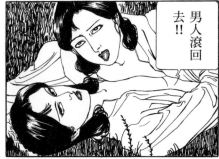

男人滾回去！！

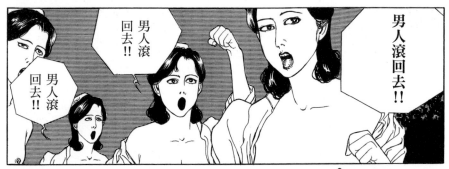

男人滾回去！！

男人滾回去！！

男人滾回去！！

男人滾回去！！

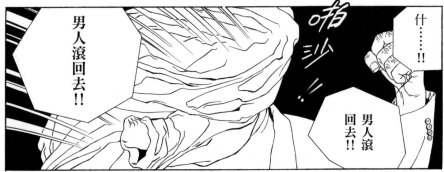

男人滾回去！！

啪沙！！

什⋯⋯！！

男人滾回去！！

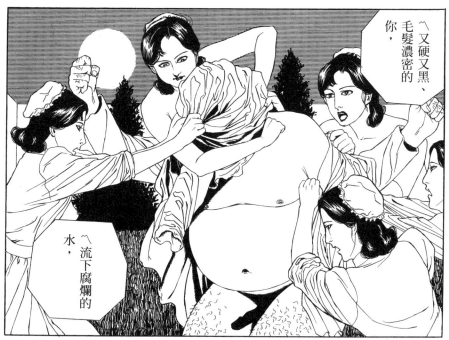

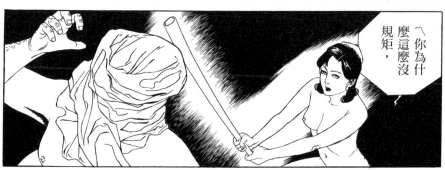

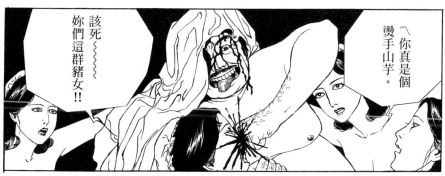

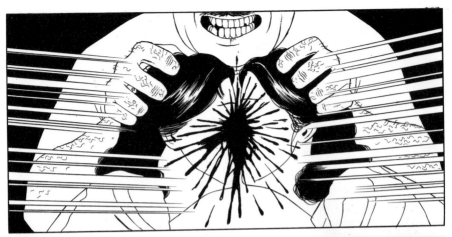

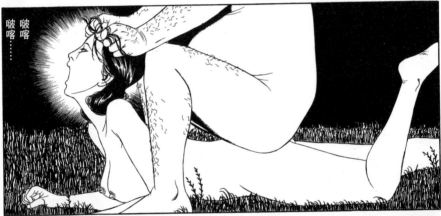

啵啵
啵喀
喀……

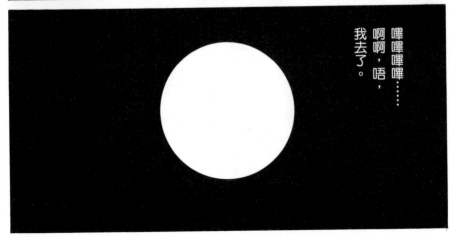

嘻嘻嘻嘻……
啊啊，唔，
我去了。

月蝕病院 完

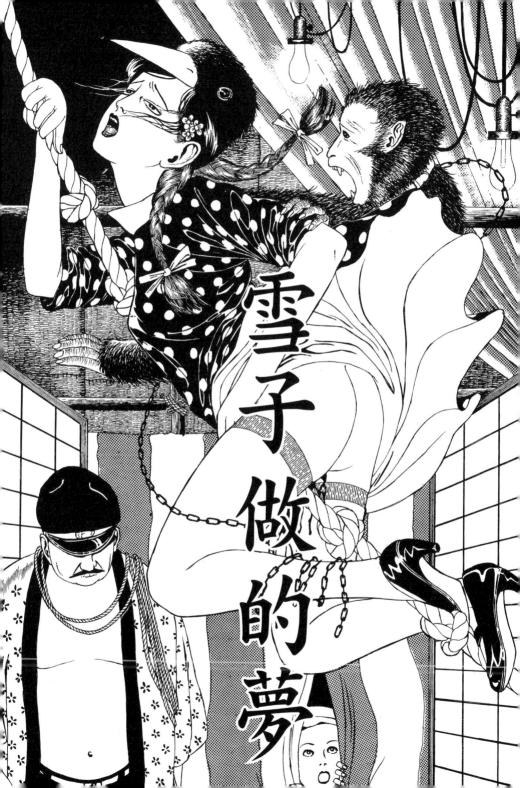

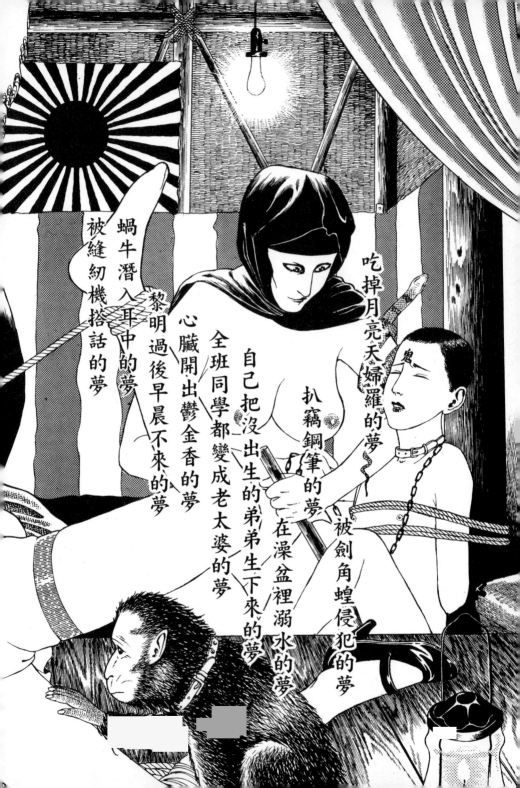

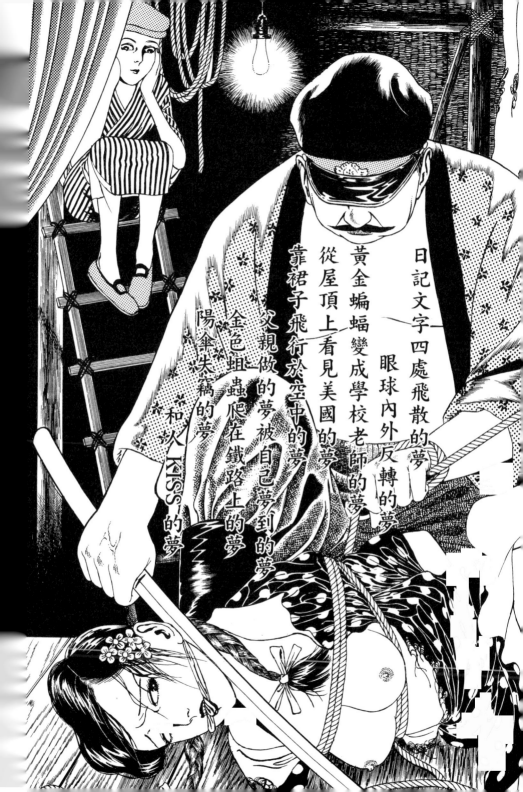

日記文字──四處飛散的夢

眼球內外反轉的夢

黃金蝙蝠變成學校老師的夢

從屋頂上看見美國的夢

靠裙子飛行於空中的夢

父親做的夢

被自己夢到的夢

金色蛆蟲爬在鐵路上的夢

陽傘失竊的夢

和以KISS的夢

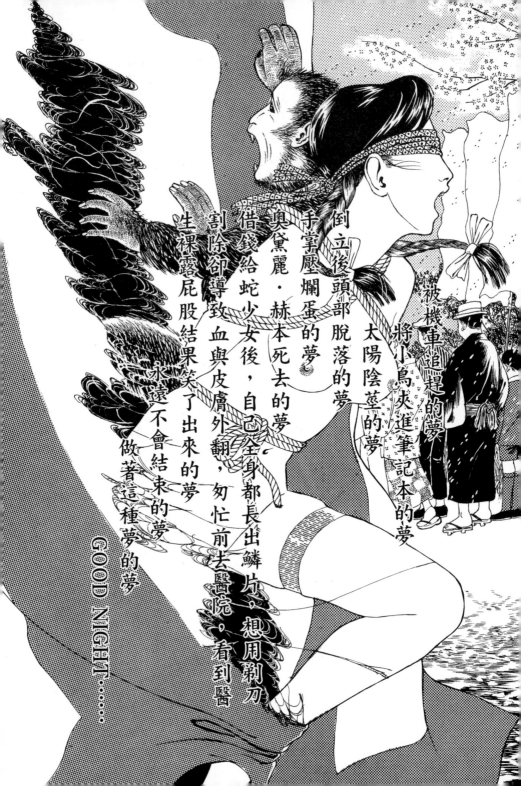

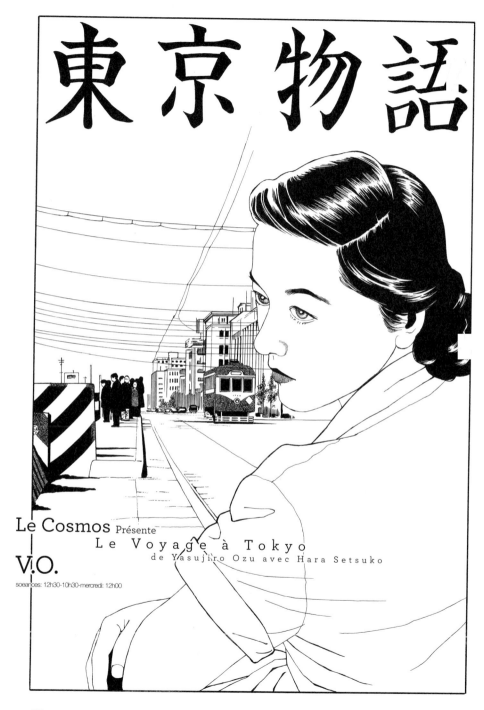

東京物語

Le Cosmos Présente
Le Voyage à Tokyo
de Yasujiro Ozu avec Hara Setsuko

V.O.

soeances: 12h30-10h30-mercredi: 12h00

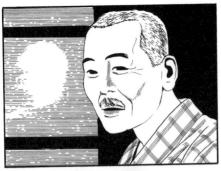
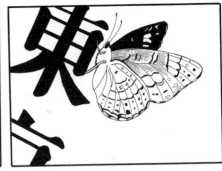
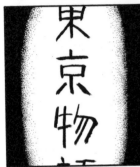
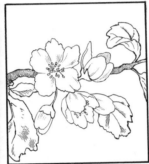
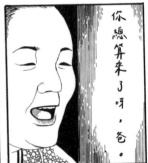
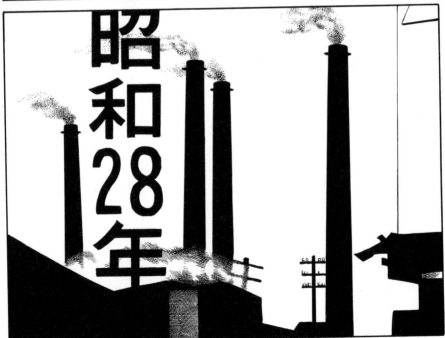

Une jeune veuve reçoit la visite de ses beaux-parents. " Alors, finalement nous sommes venus ! " — 28ème année du règne de l'empereur Hiro-Hito —

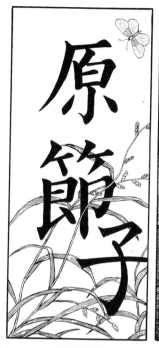

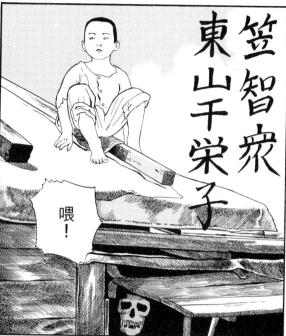

笠智衆

東山千栄子

原節子

喂！

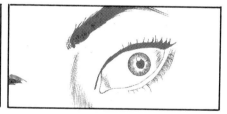

嘎！

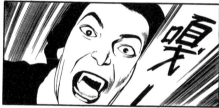

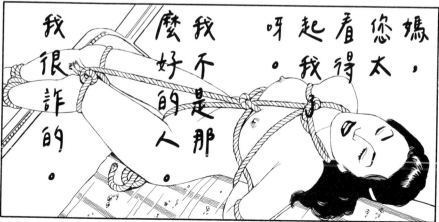

我很詐的。

我不是那麼好的人。

媽，您太看得起我了呀。

Mère vous ne connaissez pas ma véritable nature. Je suis pas aussi bonne
175 que vous le croyez. Je suis rusée et imaginative

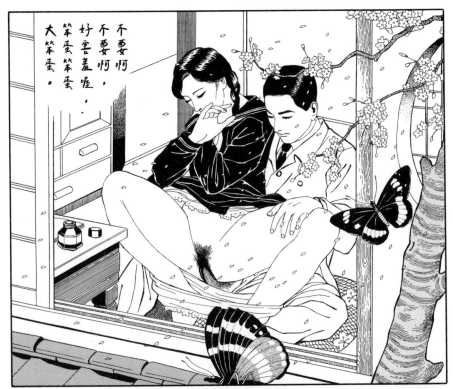

不要啊，
不要啊，
好害羞喔，
笨蛋笨蛋
大笨蛋。

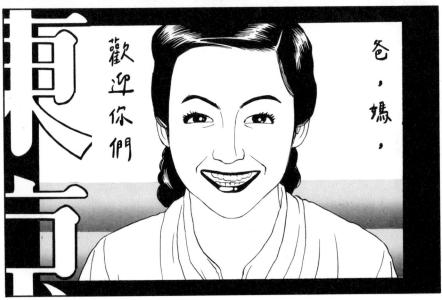

歡迎你們

爸，媽，

" Arrête, j'ai honte ! " (bis) — " Bienvenue papa-maman ! "

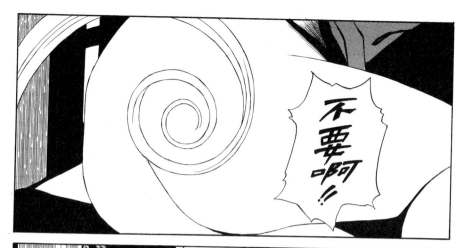

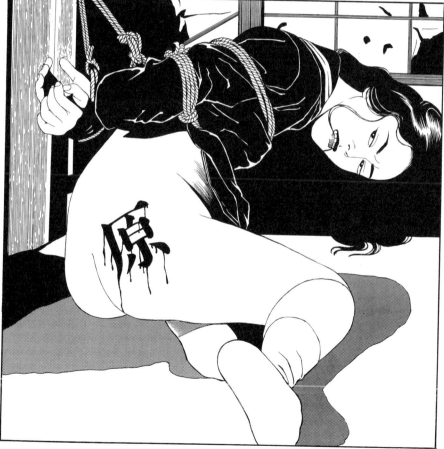

" Cessez, je vous en prie... "

夕陽真美呀。

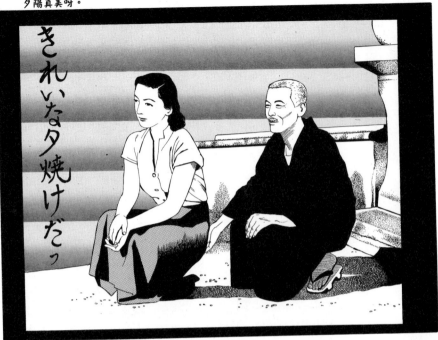

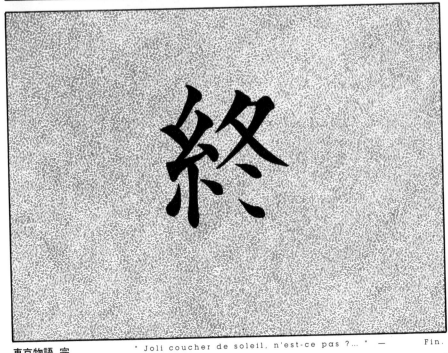

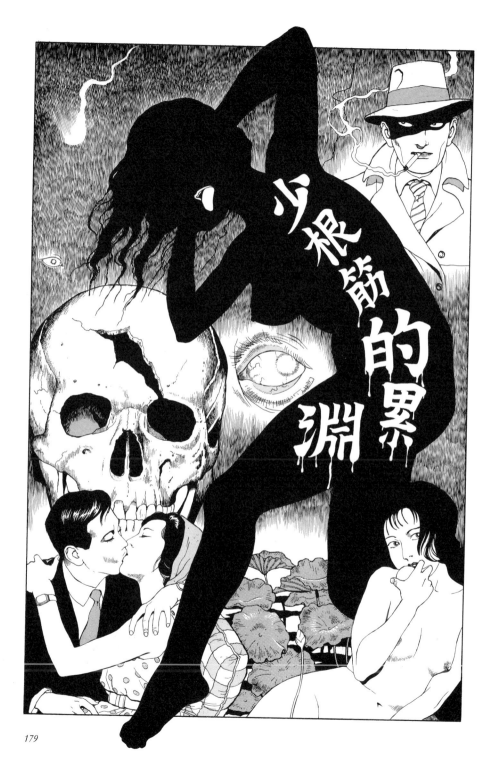

少根筋的累淵

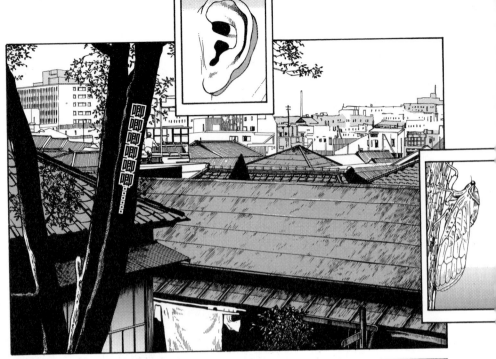

唧唧唧唧唧……

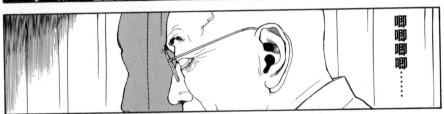

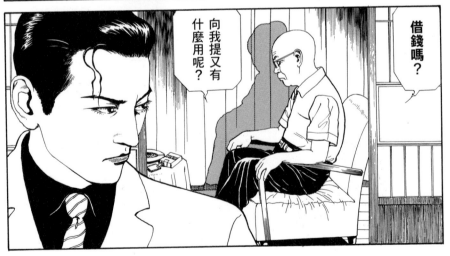

借錢嗎？

向我提又有什麼用呢？

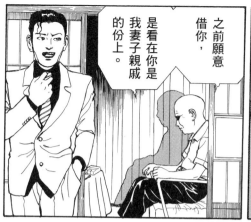

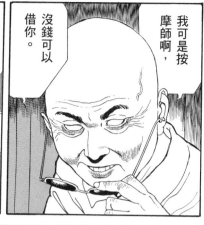

我可是按
摩師啊，

沒錢可以
借你。

之前願意
借你，

是看在你是
我妻子親戚
的份上。

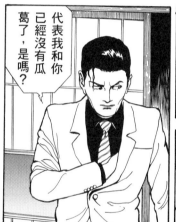

代表我和你
已經沒有瓜
葛了，是嗎？

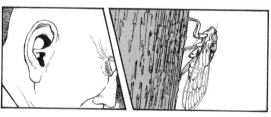

如今我
妻子已
經死了。

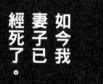

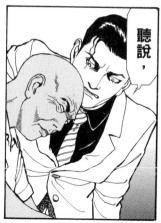

聽說，

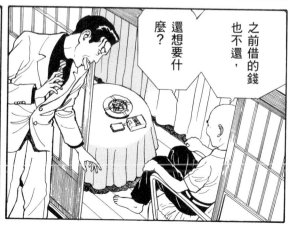

之前借的錢
也不還，

還想要什
麼？

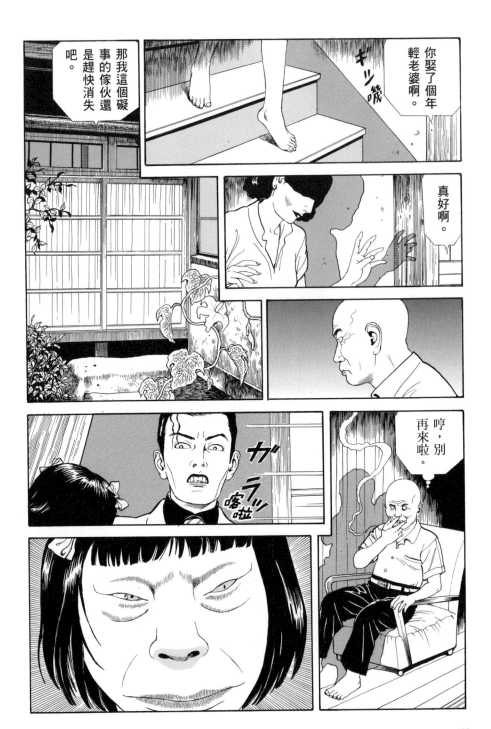

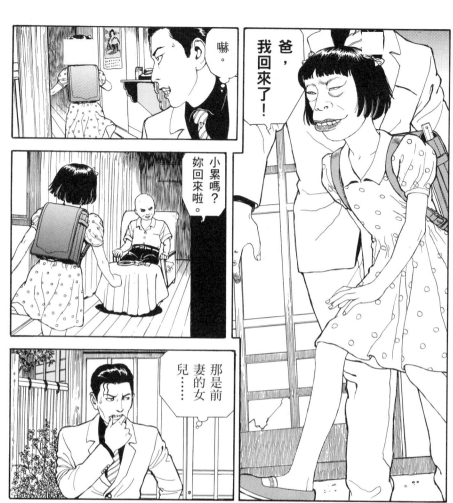

嚇。

爸，我回來了！

小累嗎？妳回來啦。

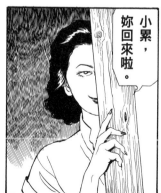

那是前妻的女兒……

小累，妳回來啦。

還好父親的眼睛看不見呢。

是種了什麼因啊。

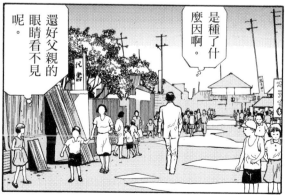

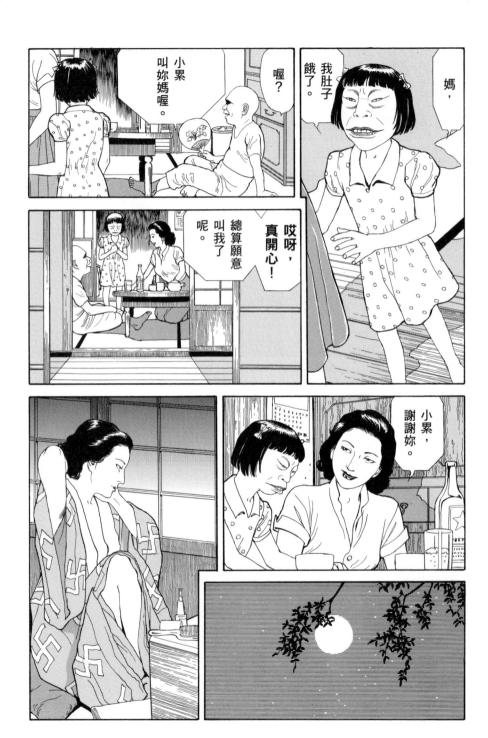

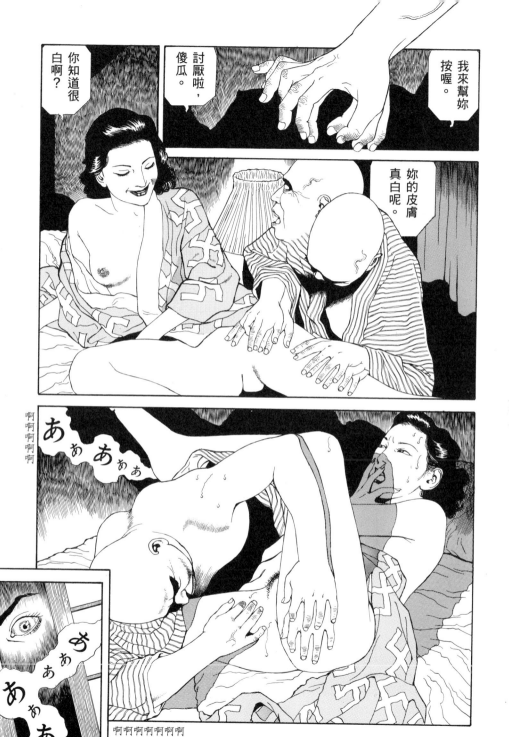

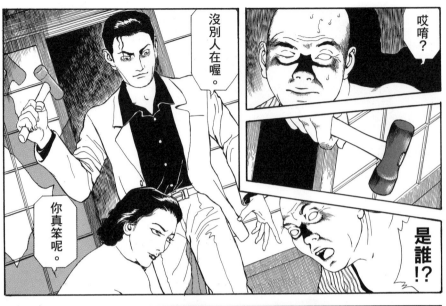

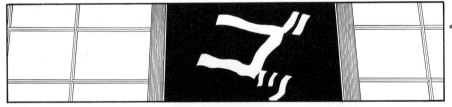

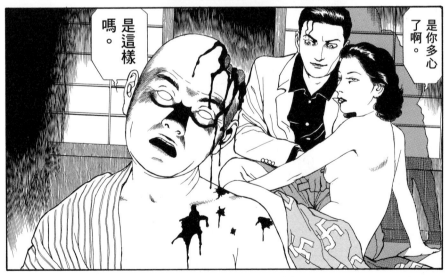

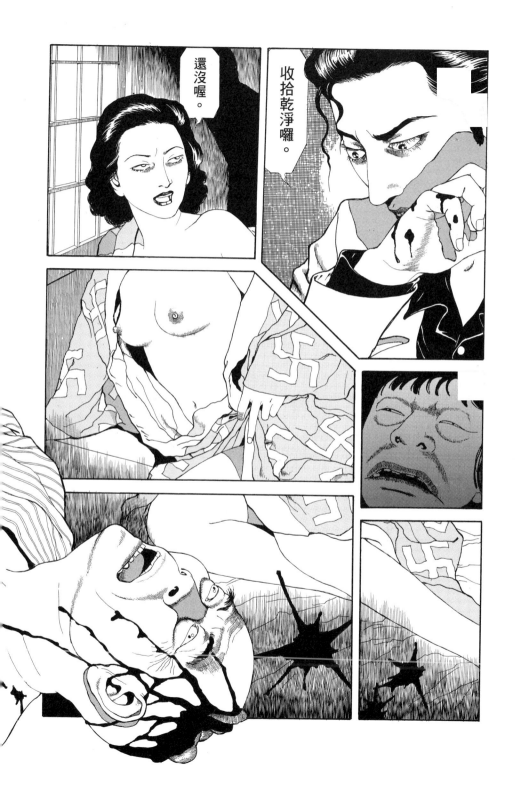

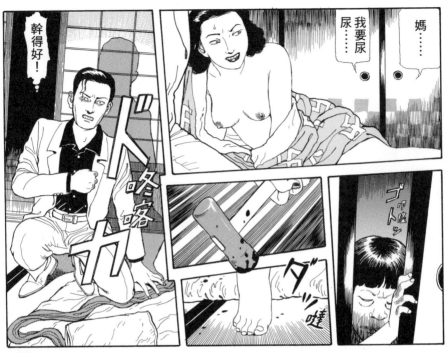

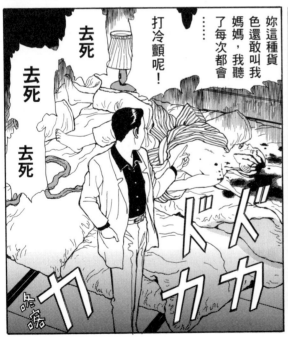

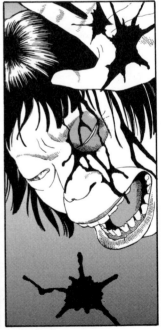

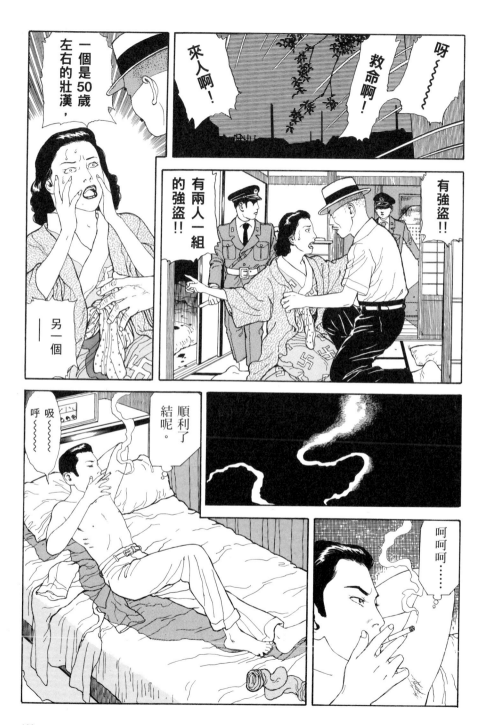

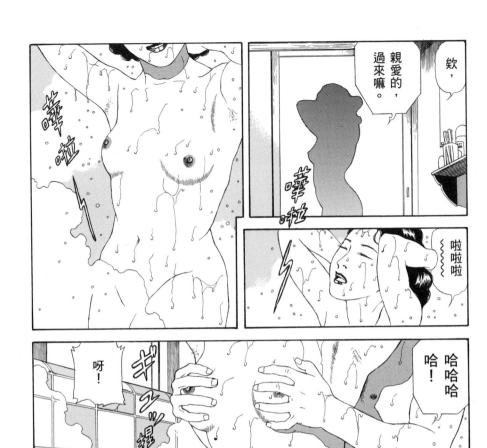
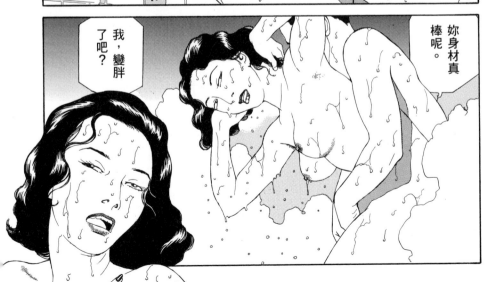

190

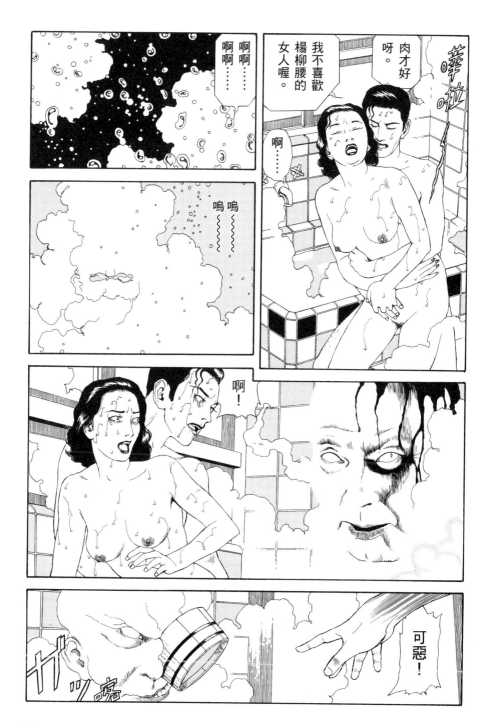

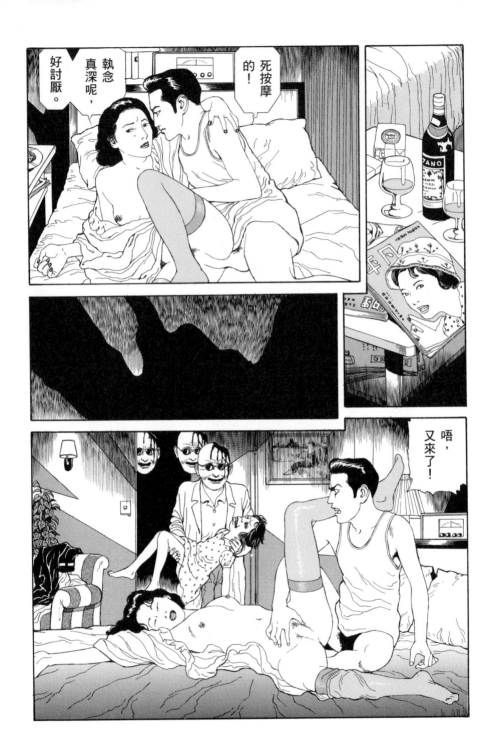

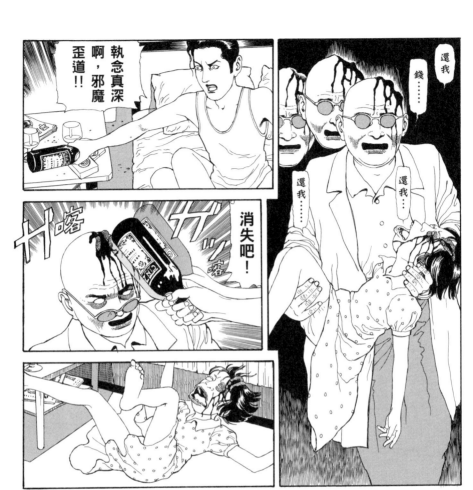

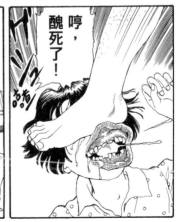

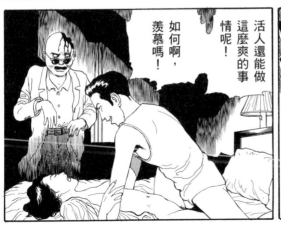

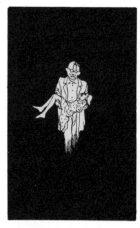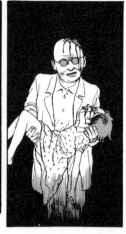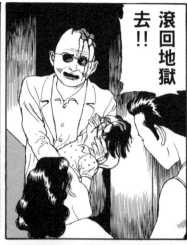

滾回地獄去!!

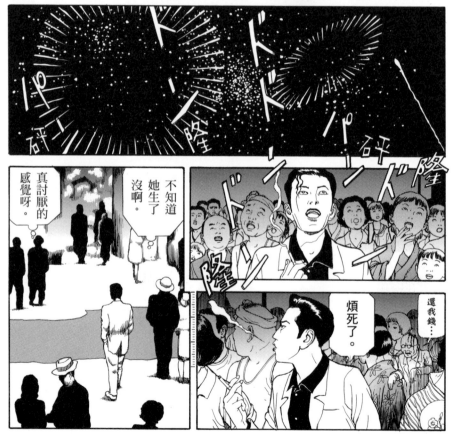

真討厭的感覺呀。

不知道她生了沒啊。

煩死了。

還我錢…

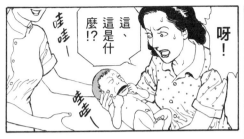

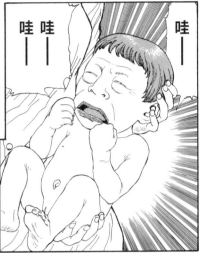

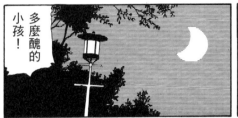

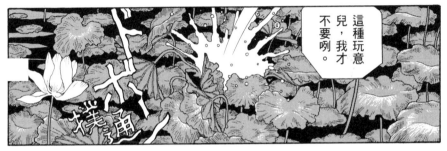

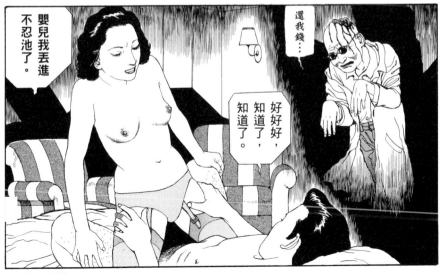

少根筋的累淵 完

最初刊載處　一覽

學校的老師　《月刊 OUT 增刊 – ALAN 第 13 號》82 年（みのり書房）

吸笛童子《JUNE》82 年 11 月號（サン出版）

大便湯的做法《漫画ピラニア》82 年 2 月號（辰巳出版）

初戀・壹萬壹千鞭譚《別冊 SM ファン》82 年 7 月號（司書房）

童貞廁之介・天國《漫画ピラニア》82 年 6 月號（辰巳出版）

手淫千太《漫画ハンター》82 年 4 月號（あまとりあ社）

地獄一季《漫画スキャンダル》82 年 5 月號

美麗的日子《漫画ドッキリ号》81 年 12 月號（あまとりあ社）

卵蛋的捏法《漫画ピラニア》82 年 10 月號（辰巳出版）

無能少年《漫画ドッキリ号》81 年 2 月號（あまとりあ社）

腐爛之夜・伊底帕斯的黑鳥《漫画ピラニア》81 年 12 月號（辰巳出版）

月蝕病院《漫画エロス》82 年 9 月號（司書房）

雪子做的夢《SM セレクト》82 年 6 月號（東京三世社）

東京物語《CINE FRIPON》92 年（法國）

少根筋的累淵《Garo》00 年 4 月號・5 月號（青林堂）

昨夜夢中綻放了過激糟糕的什麼？記《夢也久作》

「我們是粉紅色的排泄物、我們是國家的猥褻物……請用前所未聞的語言更加地羞辱我，用薔薇的顏色弄髒最愛的日常，請在前所未見的世界中，更加地解放我……」

——cali ≠ gari《色情天國》（エロトピア）

初次閱讀《夢也久作》（夢のQ-SAKU），像是被不斷襲來的殘忍奇觀攻擊，夾雜些許的自我道德審查。與丸尾末廣其他更具劇情性的作品相比，這本生猛的短篇輯，或許更會讓讀者的感官被種種不適淹沒，無所適從。但若能仔細地品嚐其中的手法情調，在表面上的極端和踰越（transgression）之下，其實充滿許多幽默與傷懷的蛛絲馬跡。

《夢也久作》原文書名「夢のQ-SAKU」為作家夢野久作的諧音，這個筆名意指精神恍惚、經常做夢的

人。丸尾末廣的作品深受夢野久作、江戶川亂步[1]等作家「影響」。他的作品，總是鬧鬼般地重複著懷舊的時代感，許多來自大正、昭和時期的文化符號，舉凡場景、造型等等，不斷地被漫畫中重複使用。在整個「丸尾地獄」中（有點像漫威電影宇宙），這個地獄的材料以所謂エロ・グロ・ナンセンス（erotic-grotesque-nonsense，直譯為情色、怪誕、無意義，以下簡稱為 Ero-Guro）為核心，始於大正昭和，卻又宛若黑洞般，不停地吸納更多不同時空的元素。

丸尾以引用改寫技術聞名，他本人稱之為公然剽竊。這個概念來自於十九世紀法國作家洛特雷阿蒙（Comte de Lautréamont）。他說：「剽竊是必要的。剽竊即是進步。它接納了原作者的修辭，去除其中的錯誤想法，再以正確取代」。此句亦在近百年後被思想家居伊・德波（Guy Debord）[2] 原句重引在他的名作《景觀社會》（La Société du spectacle）中。而丸尾本身亦常使用洛特雷阿蒙的名句「當雨傘和縫紉機在解剖台上的偶然相遇」。對各種經典作品的諧擬（parody）、挪用或轉譯，其實也表現了丸尾對某種文藝系譜的廣泛涉獵，舉凡超現實、達達，或通俗文化與歷史知識等，都在他的創作中拼貼成一種獨特的世界觀：乍看是 nonsense，卻又將各種脈絡連為一體。

以本書中的圖像舉例，第一百頁圖中，出現了寺山修司實驗電影《雙頭女》、三島由紀夫的《金閣寺》以及太宰治常掛在嘴上的「意志薄弱」。而一二九頁《無能少年》的卷頭，則直接使用了月岡芳年的《英

名二十八眾句》。

如果《夢也久作》是讀者初次接觸的丸尾作品，或許是相對 hardcore 的，但若能依此遁入 Ero-Guro 之門，將變態殘忍置入時代感與懷舊的括弧中後，由於我們可以辨認出軍服、破敗街景、以及其他來自不同文本中的援引，初次閱讀時的腦充血般的激昂感覺會淡去，而可能更可以享受到更多來自整個「丸尾地獄」中，不斷翻查識破各種引用元素與不斷重複轉譯過程的樂趣。舉例來說，法國哲學家巴塔耶（Georges Bataille）的小說《眼睛的故事》和短文《太陽肛門》正是丸尾最愛使用的意象來源之一。〈大便湯的做法〉這篇，正是模仿《眼睛的故事》的設定，並加以變造。「瞇眼望向太陽，我看見了太陽的陰莖。我搖頭，太陽的陰莖也隨之擺動，那便是風的成因」，這個意象鮮明的短詩，便是來自《太陽肛門》，原文中強調某種人與宇宙間的虛無關係，而丸尾寫下此句，將原文中如黑洞般的肛門轉換為陰莖／陽具，似乎也增加了一層，人們任由國家機器的陽剛暴力宰制，卻又恍惚地好像有點享受的被虐狂觀點。[3]

1　江戶川亂步這個筆名亦是 Edgar Allan Poe 的諧音，這種變造冒名方式似乎系出同源。

2　丸尾與 Debord 的共通點是對達達主義的興趣，但 Debord 後來轉向他自己創立的字母派（Lettrism），採取更「非作者論」的實驗電影創作。

3　有興趣的讀者請見沼正三的《家畜人鴉俘》（1970）。拙文《極樂西方機械諸神御前、無我夢中電氣睡蓮》亦可參考。

對性／別政治敏感的讀者，或許會對這類型作品中常見消費女體或對性少數獵奇之策略感到過敏。不可

否認，Ero-Guro 的挑釁策略，往往具有這種危險性，「不打破蛋殼，雛鳥無法振翅飛翔，但打破之後呢？」

走在雙面刃的刀鋒上，正是反文化策略的邊緣性，未知的世界，就是恐怖的來源。所幸，作品中的一切

都只是虛構。因此，閱讀此類作品的樂趣，往往也來自於這種讀者置身其外，一面窺淫，一面挑戰自我

道德邊界的不適感。俄國文學批評家巴赫汀（Mikhail Bakhtin）所研究的中世紀文學狂歡節中，在各種重

複、狂笑、詭態奇形的幻術中，形成某種例外狀態，和 Ero-Guro 不謀而合。

Ero-Guro 的想像力來源，或許是由寫實進程到虛構的。這可追溯到百年前的報導文學，像是一九二〇

年代開始的各種獵奇社會事件新聞，如啟發大島渚《感官世界》（1976）的阿部定事件（1936），或是

川端康成的《淺草紅團》（1929）。甚至再往前一百年的浮世繪傳統，如十九世紀的月岡芳年的無慘繪、

歌川國芳的《相馬之古內裏》等，都是由庶民文化中，性與暴力的黑暗面出發。大正時代出生的詩人金

子光晴在《絕望的精神史》以強烈的負面情感思考了在他的時代中，作為日本人的絕望與罪惡感。從大

正時代模仿西歐，昭和時代發起戰爭等等，作為人文主義者的金子光晴，以自傳的角度闡述自身的心路

歷程，他所描繪的面向內在的精神結構，和「絕望」的背景，也正是 Ero-Guro 的晦暗源頭：眾人皆是

被主流機制排除，無法得到「幸福」的他者。民族主義、國家機器與個人、庶民之間的對立，也是 Ero-

Guro 文化中常見的意識型態，如丸尾末廣作品中常常描寫到軍國主義的殘酷，以及各種庶民畸形者，便

是以這種土俗／汙穢／變態色情，對抗菁英文化／衛生／乾淨的性的二元方法論。亦常被丸尾引用的寺山修司有一句知名口號：「見世物の復權」（將權力還回被觀看的怪胎們），正是此反文化，反發展主義的意識型態的濫觴之一。值得一提的是，日本時代的臺灣，亦曾有所謂的 Ero-Guro 報導，甚至類虛構的文學作品。在王琬葶的論文[4]《世界的聲響：日治時期臺灣女性雜誌的女性主義閱讀》中，她提到：「在一九三〇年代的臺灣，『色情‧怪誕‧無意義』也是報刊雜誌的流行語。《臺灣日日新報》以此語形容各式社會案件，包括精神錯亂、情殺慘劇、同性愛、雙性人奇聞等。」文中亦提及這種寫作方向，對當時的女性處境而言，既是解放，也是壓迫。

而對父權的嘲笑和醜化，其實是丸尾作品中一貫出現的主題之一。本書中的男性角色，除了魔性美少年外，不是被變成變態的肥胖的中老年，就是性迷惘的廢憫少年。最極端的例子是改編自亂步作品《芋蟲》的〈腐爛之夜‧伊底帕斯的黑鳥〉。因為戰爭重度殘廢的父親，在丸尾的版本中變成必須被美少女女兒照顧的怪物與無語玩具，最後還被咬斷陽具。這樣的改編，甚至比小說更過激。

4　《日治時期臺灣女性雜誌的女性主義閱讀（1919-1939）》，王琬葶（政治大學臺灣文學研究所），《女學學誌：婦女與性別研究》第34期，二〇一四年六月。

《夢也久作》中，多數作品是出版於一九八一～八二年間的早期短篇（除末兩篇來自一九九二與二〇〇〇年）。除了常見的敘事體系外，亦有形式豐富的樣貌，如詩句般的〈雪子做的夢〉、直接變態化小津安二郎電影的〈東京物語〉、還有諷刺舊時代衛教政宣的〈婦人衛生寶典・卵蛋的捏法〉。而在編輯排序上，也並非只照出版時間排序，而是體貼地隱約用兩兩對照的結構，將有些關連性的作品置於前後，如〈學校的老師〉與〈吸笛童子〉都有著魔性美少年主題，增加讀者思考對照的空間。而本書中出現的許多主題和語法，亦在丸尾末廣之後的作品中不斷出現。與他備受國際肯定後的近年作品對照，如改編自乱步小說的《帕諾拉馬島綺譚》，不論畫技或是文本改寫的精緻縝密程度皆大幅增加，但也因此顯得早期作品雖不易入口，初生之犢的狂氣卻更顯可貴。

步入晚年的丸尾末廣依舊以無賴、慣竊、反藝術的姿態進行創作，儘管他排斥被貼上藝術的標籤，有趣的是 Ero-Guro 作為次文化，不再只是異端與正統間的戰爭，更在日本之外的許多國家被視為文化與風格的開創者。前衛（Avant-Garde）這個軍事名詞，恰恰也與他們反對的軍國主義產生某種有趣的矛盾。

Ero-Guro 不論起源或是現在，都不僅是僅屬於日本三〇年代的封閉世界，正如寺山修司的市街劇，其實也受美國六〇年代的反文化運動影響。而在丸尾末廣的世界中，亦有如澀澤龍彥般，由法國文學開始的，和洋混種、寰宇蒐奇的雜學精神，在歐美臺灣皆有粉絲與譯本的現在，我認為丸尾作品的價值，在

數十年的累積後，這些作品，也許早已飛出作者以自我滿足為出發點的繪圖桌外。回到本文標題，Saku 是綻放（咲く）的羅馬拼音，閱讀本書的過程中，我不斷地回想起各種相關的文本作品與冷知識，他們彼此援引互文，於是夢中滿開的異形奇花，在虛構的舊時代中昇起符號帝國的迷宮。夢醒之後，也許我們無法細數故事情節，但希望花朵腐爛的氣味，會引領同屬島國的臺灣讀者，窺見更寬廣的世界。

吳梓安【實驗電影人／藝術家】

MANGA 012

夢也久作

【改訂版】夢のQ-SAKU

作　　　　　者	丸尾末廣
譯　　　　　者	黃鴻硯
導　　　　　讀	吳梓安
美 術 / 手 寫 字	林佳瑩
內　頁　排　版	藍天圖物宣字社
校　　　　　對	魏秋綢
社 長 暨 總 編 輯	湯皓全
出　　　　　版	鯨嶼文化有限公司
地　　　　　址	231 新北市新店區民權路 108-3 號 6 樓
電　　　　　話	(02) 22181417
傳　　　　　真	(02) 86672166
電 子 信 箱	balaena.islet@bookrep.com.tw

發　　　　　行	遠足文化事業股份有限公司【讀書共和國出版集團】
地　　　　　址	231 新北市新店區民權路 108-2 號 9 樓
電　　　　　話	(02) 22181417
傳　　　　　真	(02) 86671065
電 子 信 箱	service@bookrep.com.tw
客 服 專 線	0800-221-029
法 律 顧 問	華洋法律事務所　蘇文生律師
印　　　　　刷	勁達印刷有限公司
初 版 一 刷	2024 年 2 月
初 版 二 刷	2024 年 5 月

定價 400 元
ISBN 978-626-7243-55-8
EISBN 978-626-7243-52-7（PDF）
EISBN 978-626-7243-53-4（EPUB）

夢のQ-SAKU
© Suehiro Maruo 2006
Originally published in Japan in 2006 by Seirinkogeisha CO., LTD.
Traditional Chinese translation rights arranged with Seirinkogeisha CO., LTD.
through AMANN CO.,

特別聲明：有關本書中的言論內容，不代表本公司 / 出版集團之立場與意見，文責由作者自行負擔